AMSTERDAM

GUÍA **SPIRAL**

EL PAIS
AGUILAR

Contenidos

Coordinación editorial: Cristina Gómez de las Cortinas
Traducción: Cristina Gómez Llorente
Edición de textos: Inés Vitaller Agüero
Maquetación: Fernando de Santiago

Primera edición, 2009

Título original: *Spiral Guide Amsterdam*
Autor: Simon Calder

© Automobile Association Developments Limited 2001, 2004, 2006, 2008
Planos © MAIRDUMONT/Falk Verlag 2008 y © ISTITUTO GEOGRAFICO DE AGOSTINI S.p.A., NOVARA 2008
Plano de transportes © Communicarta Ltd, UK
www.theAA.com/travel

© Santillana Ediciones Generales, S.L.
2009 para la presente edición
Torrelaguna, 60. 28043 Madrid
Tel. 91 744 90 60
Fax 91 744 90 93
www.elpaisaguilar.es

ISBN: 978-84-03-50848-4
A03902

Impreso en China por Leo Paper Products.

Magazine

Amsterdam es la más joven de las grandes ciudades europeas. Hace mil años tan sólo era una zona pantanosa, una pequeña franja de tierra por la que el Rin desembocaba en el mar del Norte.

Los primeros habitantes comenzaron a modificar este entorno pantanoso, estableciendo las pautas del ulterior crecimiento de la ciudad. Los lemas de los holandeses son dos: adaptabilidad y cambio, virtudes que les han permitido sobrevivir a numerosas adversidades, tanto naturales como fruto del hombre, y posteriormente, aprovechar el renovado auge del comercio mundial para dar paso a la Edad de Oro del siglo XVII. El centro de estos beneficios fue río Amstel. En comparación con otras capitales europeas, Amsterdam es pequeña, con unos 750.000 habitantes concentrados en un espacio que tampoco resulta muy amplio. Aun así, es una de las ciudades más cosmopolitas del continente y cuenta con una gran comunidad de indonesios, caribeños y norteafricanos; el clima liberal característico

Amsterdam
una capita

de la ciudad ha hecho de ella una de las mecas de la diversidad europea.

La vitoreada tolerancia que reina en Amsterdam le ha conferido una posición inigualable en el mundo del arte, la arquitectura y la cultura. Su postura respecto a las drogas blandas y la prostitución, polémica para entonces, como lo es ahora, Amsterdam, una ciudad que sigue viva gracias a su ingenio.

En muchos sentidos, la ciudad sigue siendo espejo de aquella aldea que sus primeros habitantes crearon a costa del

Al entrar en www.iamsterdam.com se descubre una web atractiva y ágil que presenta a Amsterdam como una ciudad moderna y variada con una amplia oferta de lugares culturales y oportunidades de negocio. Se pone de relieve la excelente situación de esta ciudad para llevar a cabo actividades comerciales con toda Europa. Este cambio de imagen de Amsterdam es parte de la campaña lanzada por los políticos locales y nacionales para potenciar su faceta comercial y de ciudad de negocios clave para la economía de la Europa del siglo XXI, además de los otros aspectos tradicionales asociados a la capital holandesa.

algunos y símbolo de la libertad para otros, es un aspecto controvertido pero que no afecta a la convivencia. Amsterdam es una ciudad cívica y accesible, que parece concebida a la medida humana.

restaurantes imaginativos, el resultado es una ciudad que consigue resultar civilizada a la vez que mantiene su diversidad.

Esta animada y elocuente comunidad reside a orillas de una red de canales cuya persistencia ha permitido a Amsterdam resistirse a las atrocidades arquitectónicas que se han visto en tantas ciudades. Las impenetrables aguas reflejan miles de puentes y magníficas casas con vistas a calles adoquinadas, infundiendo una calma que domina la ajetreada vida urbana.

Esta pura concentración de placer, más bien psíquico que físico, no encuentra rival en ninguna otra capital europea. Si a esto se añade una buena oferta de bares informales y

El Parlamento, en La Haya

Aunque Amsterdam es la capital de Holanda, los representantes del país se reúnen en una ciudad mucho más pequeña, La Haya, lugar que se convirtió en sede del Gobierno holandés y de numerosas embajadas gracias al conde Guillermo II de Holanda, quien en el siglo XIII la eligió como lugar de residencia. Su nombre oficial, 's-Gravenhage, significa Parque del Conde. Posteriormente, también se establecieron aquí los Estados Generales de Holanda. El Parlamento sigue teniendo su sede de deliberación lejos de Amsterdam, en parte por tradición, y también para evitar la concentración de poder, ya que la capital –que sólo alberga al 20% de la población nacional– es el núcleo del país en cuanto al desarrollo de los negocios y la cultura.

LO MEJOR
de Amsterdam

Selección de la mejor oferta de la ciudad:

Vista aérea: la torre de la Westerkerk (➤ 92–93), ideal para ver el núcleo medieval de la ciudad.

viajero; imprescindible un paseo en barco por los canales (➤ 84–87).

Casa en los canales: Ons' Lieve Heer op Solder (➤ 64–65) es una de las residencias del siglo XVII más espectaculares.

Música: el Muziekgebouw aan't IJ (➤ 148), un regalo para los oídos.

Punto de observación (en días de lluvia): el café Américain del American Hotel (➤ 101).

Punto de observación (en días despejados): la entrada del peculiar café de De Sluyswacht (➤ 72).

Transporte: visitar la ciudad a nivel del agua es una actividad esencial para todo

Nuevos edificios: el llamativo edificio de la Ciudad de las Ciencias NEMO (➤ 69) se ha convertido ya en un componente esencial del horizonte de la ciudad.

Paseo en tranvía: el número 16 desde la Centraal Station a la Museumplein y el número 5 de vuelta.

Iglesias: el tranquilo e inmaculado interior de la Nieuwe Kerk (➤ 61–62) es todo un lujo.

Una forma interesante de ver la ciudad es desde las aguas de los canales

Mercados: Noordermarkt (► 106) y, en especial, el mercado al aire libre de los lunes.

Zonas verdes (gratuitas): el Begijnhof (► 54–55).

Zonas verdes (con entrada): el Hortus Botanicus (► 144–145).

Si tiene que elegir uno:

Museo de arte: el Van Gogh Museum. La brillantez de la trágica y corta vida de Van Gogh se pone de manifiesto en este excelente museo (► 124–127).

Hoteles: el Dylan (► 41) ofrece lujo, encanto y un diseño teatral.

Arriba: la Ciudad de las Ciencias NEMO

Abajo: típico de la ciudad

Museo especializado: el Tassenmuseum Hendrikje (► 153) ofrece una colección llena de misterios en una casa histórica a orillas de los canales.

Bruin café: café Papeneiland (► 101–102), un local pequeño, antiguo y con mucha tradición.

Grand café: café de Jaren (► 70), emplazado en un antiguo banco, con una situación privilegiada a orillas de los canales.

Para comer: café-restaurant Amsterdam (► 103), una remodelación sorprendente de una vieja estación eléctrica con un menú apropiado para todos los bolsillos.

El aeropuerto de Schiphol de Amsterdam, uno de los aeropuertos con más tráfico de Europa, se sitúa sobre el lecho de un antiguo lago

¿Apta para el asentamiento humano?

Desde la mirada de un piloto, el acercamiento al aeropuerto de Schiphol es excepcional. El mar del Norte termina abruptamente en una sólida hilera de dunas, reforzadas en distintos lugares por la mano del hombre. Conforme el avión gira sobre la ciudad, Amsterdam parece a punto de anegarse con toda el agua que la rodea y que penetra en la ciudad. La realidad se vuelve inverosímil en el aterrizaje, que se hace en una pista a 4 metros bajo el nivel del mar.

¿Es esta zona apta para el asentamiento humano? La mayoría del país sí, al menos, en teoría. Justo al norte de Rotterdam, Holanda alcanza una zona baja histórica: la tierra se sitúa a 6 metros por debajo del nivel del mar. El país tiene un problema: un tercio de su territorio, incluyendo una parte sustancial de Amsterdam, se encuentra por debajo de una línea sobre la cual fluiría de forma natural el mar del Norte en caso de que no hubiese barreras. El 60% de la población holandesa, en una franja entre el estuario del Schelde próximo a Bélgica y la frontera alemana, vive por debajo del NAP (Normaal Amsterdams Peil o nivel normal de Amsterdam).

LOS CIMIENTOS DE ESTA TIERRA

No siempre fue así; 500 años antes del nacimiento de Cristo, el nivel del mar era más bajo y gran parte de la línea costera permanecía intacta. Para finales del primer milenio, el mar del Norte había invadido una gran parte de lo que es hoy en día Holanda, dejando amplios estuarios intercalados con zonas precariamente pantanosas. Los primeros colonos de Amsterdam comenzaron a convertir el terreno en suelo habitable a través de un método que a los

drenaje de zonas más extensas, manteniéndolas secas; y por otro, la llegada de las bombas a vapor a finales del siglo XVIII. Con esto se ganó fuerza y se permitió la recuperación de tierra a gran escala, principalmente en el antiguo Zuider Zee (mar del Sur, al norte de Amsterdam), el actual Ijsselmeer.

FUERTES MAREAS

Sin embargo, a lo largo del tiempo se han producido desastrosas inundaciones, de manera que se tiene un gran respeto por la misma agua que

Un tercio del territorio de Holanda se encuentra por debajo del nivel del mar del Norte

holandeses les ha funcionado desde entonces: extraer tierra de las marismas para construir islas artificiales, que crecían gradualmente y se unían conforme aumentaba la actividad humana. Gracias a la construcción de robustos diques, una vez drenada, esta zona cercada era apta para la población o la agricultura. El proceso se aceleró gracias a dos grandes desarrollos tecnológicos: por un lado, el uso de molinos de viento para hacer funcionar las bombas de hélice, lo que posibilitó el

fraguó la suerte de Amsterdam. Se admite su potencial destructor desde hace más de tres siglos –mucho antes de que Londres se convirtiese en la ubicación del principal meridiano mundial– ya que en 1648 se estableció el nivel normal de Amsterdam. El punto cero a partir del cual se calibra la altitud en la mayor parte de la Europa septentrional estaba situado en la ciudad, que en aquella época se encontraba conectada con el mar del Norte, como la marca de altura media del nivel del

Zuider Zee. En la actualidad se puede visitar una réplica del marcador de bronce original en el complejo del ayuntamiento y la ópera. Junto a esta marca se pueden encontrar columnas de agua que ofrecen una representación gráfica del problema del nivel acuático.

Un vínculo digital con el mar del Norte muestra el nivel actual de la marea en el Ijmuiden, el puerto del mar del Norte más cercano a Amsterdam, así como en el Vlissingen, situado en el lejano sureste. Una tercera columna indica el nivel alcanzado por el mar durante las últimas inundaciones de 1953, que anegaron gran parte de la ciudad a causa de una marea que alcanzó los 4,55 m.

PILOTES DE MADERA

Todo niño holandés escolarizado sabe que el palacio Real se sujeta sobre 13.659 pilotes de madera para evitar su hundimiento en las marismas sobre las que se erige Amsterdam de forma vacilante. Durante la construcción de la ciudad se extendió la técnica de insertar pilotes de madera en la primera capa sólida de arena, situada a 12 m bajo el suelo. Este método se utilizó universalmente, como atestigua cierto número de casas que se tambalean peligrosamente. El ejemplo más notable es De Sluyswatch, situada en el extremo sur de Oudeschans, justo enfrente de la Rembrandthuis. Su construcción, no muy buena,

¿Apta para el asentamiento humano?

Las casas del centro de Amsterdam se levantan sobre profundos cimientos

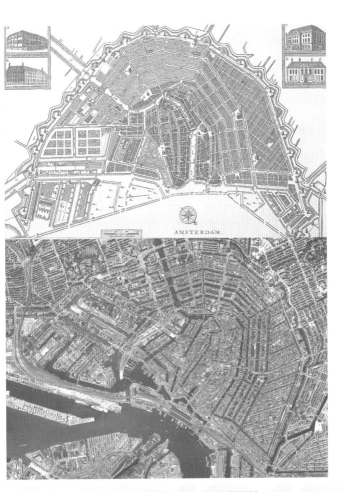

se remonta a 1695, y dio lugar de forma temprana a una sorprendente inclinación. Hoy día alberga un café (► 72).

Los pilotes de madera deben mantenerse siempre rodeados de agua, ya que al contacto con el aire podrían pudrirse, con dramáticas consecuencias. Las técnicas de construcción modernas usan pilotes de hormigón y los hunden hasta la segunda capa de arena a 40 m, o incluso más abajo. Uno de los beneficios estéticos que tiene este desafío es que en el horizonte de Amsterdam no se perfilan muchos rascacielos.

¿SIMILITUDES CON ITALIA?

Muchos viajeros suelen llamar a Amsterdam la Venecia del norte. Ambas ciudades fueron construidas sobre unas 100 islas, cerca de 105 canales las cruzan y varios cientos de puentes las unen. Ambas desarrollaron unos lazos económicos y culturales que las situaron por encima de ciudades rivales y hoy en día, las dos dependen en gran medida del turismo. Pero la comparación termina aquí. Podría llegar un momento en el que a Venecia se la describa como la Amsterdam del sur.

Una vista aérea actual de Amsterdam (arriba) muestra la fidelidad que ha mantenido con respecto al plano original del siglo XVII (parte superior)

LA TRADICIÓN DE LOS HASTIALES

Amsterdam se caracteriza por su sencilla arquitectura; en ella no existen grandes edificios, como en Londres, París o Berlín. Incluso el palacio Real se ubica en el antiguo ayuntamiento. La marisma sobre la que se asienta la ciudad no se presta a grandes alardes. La imagen típica de Amsterdam es el hastial decorativo que corona muchos de los edificios a orillas de los canales.

ORIGEN DECORATIVO

Los tejados deben tener una marcada inclinación para hacer frente a las lluvias, muy frecuentes en la zona. En cualquier otro lugar del norte de Europa, estos empinados tejados carecen de adornos, sin embargo en Amsterdam, durante la Edad de Oro del siglo XVII, comenzó a cobrar fuerza la opción de decorar y esconder la antiestética V invertida.

Hay hastiales muy distintos, aunque la mayoría de ellos encaja en una de las cuatro categorías principales. La versión más básica es el hastial en pico con forma de embudo invertido, que se adhiere a la forma del tejado,

Los hastiales con más ornamentos están en los canales principales, como el Herengracht (abajo)

adoptando una función ornamental muy modesta con respecto a la forma de la fachada. En la zona de Jordaan abundan los ejemplos de este tipo.

El siguiente es el hastial escalonado, que simula dos escaleras que se unen en la punta más alta. Los más bonitos se encuentran en la casa Bartolotti, situada en el Keizersgracht (➤ 99).

El hastial en cuello instauró un diseño más clásico, con una alta proyección rectangular colgando de la cornisa cual cabeza sobre los hombros. En los alrededores de los canales de Prinsengracht, Keizersgracht y Herengracht hay multitud de ejemplos.

Finalmente, el más llamativo es el hastial de campana, formado por dos discretos arcos que se recogen formando una estrecha cumbre; es fácil verlo por toda la ciudad. Todos los hastiales tienen ornamentación, y la elaboración y originalidad de los diseños, constituyen uno de los mayores atractivos de Amsterdam.

LAS CASAS INCLINADAS DE AMSTERDAM

Muchas de las casas de Amsterdam tienen una inclinación distinta a los 90 grados con respecto a la horizontal. Conforme se deterioran los cimientos, el edificio puede empezar a combarse hacia un lado, afectando a menudo a los edificios contiguos. Sin embargo, la inclinación hacia delante suele ser una práctica deliberada ya que, antes de que se afianzara el uso de un sistema de drenaje correcto, se intentaba que las paredes superiores de las fachadas sobresaliesen hacia el exterior para que el agua escurriese hacia la calle (y los peatones

que pasaban por ella). Y aún hay otra buena razón: las estrechas y empinadas escaleras de las casas de los canales no se prestan a movimientos de muebles de grandes dimensiones. Las poleas en la parte alta de las fachadas hacen posible elevar los muebles desde el exterior.

LA FUNCIÓN DE LAS PLACAS DE PIEDRA

Muchas de las casas más antiguas están adornadas por placas de piedra con bonitos diseños, cuya historia se remonta a la época en la que mucha gente no sabía leer ni escribir. Estas placas ilustraban el oficio del propietario o el uso del local. La mejor colección de estas placas se encuentra en la pared de la esquina sureste del Begijnhof (➤ 54–55), donde se incrustó una serie de placas de propiedades demolidas.

Arriba: residentes renovando los muebles bajo un hastial de campana

Abajo: placas de piedra en Zandhoek, calle de las islas Occidentales

Espíritu comercial

En teoría, la economía holandesa no tiene nada de excepcional. El país con más densidad de población de Europa dispone de unas reservas de gas natural modestas, un potencial pesquero cada vez más limitado y un sector agrícola que sólo supone el 30% de su economía. A pesar de esto, los holandeses gozan de una riqueza superior a lo que suponen sus recursos naturales. Holanda se encuentra entre los países más ricos del mundo y Amsterdam es una de las ciudades más acaudaladas de Europa.

El secreto holandés no tiene ningún misterio: igualar la oferta con la demanda y aprovecharse de ello en el proceso. El comercio en sí mismo se remonta a los orígenes de la humanidad, sin embargo, el truco de Amsterdam ha sido innovar (política, tecnológica y comercialmente) y convertirse en el almacén del mundo.

La neutralidad de Holanda en un continente tan turbulento le permitió unir Alemania y la península escandinava con la Europa del sur. Se valió de la madera de la región Báltica para construir grandes barcos de mercancías que transportaban mucha más carga que los de los países rivales. El navío

bautizado como *cog*, con una capacidad de 100 toneladas, fue el gigante de la Edad Media. A su vez, establecieron unas instituciones financieras, desde los bancos a la Bolsa, a tiempo para estimular el comercio durante el auge del siglo XVII: la Edad de Oro, tanto en términos económicos como culturales.

Damrak es una de las principales arterias comerciales

BUENAS RELACIONES

La Compañía Holandesa de las Indias Orientales (VOC - Verenigde Oost-Indische Compagnie), fundada a principios del siglo XVII para la explotación de Asia, fue la pionera en establecer un estilo corporativo que llevó a Amsterdam a dominar la economía global. Esta primera

Una divisa fuerte

La primera moneda única europea tuvo su origen en Amsterdam. En el siglo XVII los banqueros de la ciudad ya aceptaban cualquier moneda y la cambiaban por el *gulden florijn* (florín de oro). Ésta es la causa de que la anterior moneda nacional se anglicanizara como *guilder,* una corrupción de gulden, aunque seguía escribiéndose como FI, la abreviatura de *florijn.*

El cambio al euro llevado a cabo en 2002 privó a Europa de algunas de sus divisas más llamativas. En la década de 1960, De Nederlandsche Bank revolucionó el diseño gráfico de sus billetes, culminando en el billete de 10 florines de 1997. En un lado tenía imágenes de un circuito electrónico, y en el otro, una obra de acuarela completada con un pez y el poema *Ijsvogel,* de Arie van den Berg.

multinacional unió a ricos mecenas de distintas ciudades holandesas, para diseminar los riesgos y compartir los extraordinarios beneficios derivados del comercio con los territorios situados entre Java y Japón. La gran fuerza de la VOC era su atención exclusiva al comercio: los holandeses no se interesaron por convertir a los pobladores locales al cristianismo y por tanto gozaron de más aceptación por parte de sus gobernantes.

Este mismo modelo fue el que siguió (con grandes resultados) la Compañía de las Indias Occidentales, encargada de comerciar con el Caribe y América del Sur, y que desempeñó un papel significativo en el comercio de esclavos. Al mismo tiempo, la Greenland Company explotaba los mares del norte.

A finales del siglo XVII, el país ya contaba con una flota de 4.000 barcos que comerciaban con más de 600 puertos de todo el mundo.

Junta de la Compañía Holandesa de las Indias Orientales

Finalmente, el proteccionismo y las incursiones militares de las naciones más poderosas supusieron el declive de la economía holandesa, aunque el espíritu emprendedor siguió fluyendo, de modo que Amsterdam realizó el primer préstamo al nuevo gobierno de Estados Unidos tras la Guerra de la Independencia.

EL PRINCIPIO DEL BENEFICIO

El principio de buscar oportunidades de negocio globales continúa intacto. Rotterdam es el segundo puerto de mayor tráfico del mundo y la compañía KLM sigue transportando al día un número de pasajeros que supera la población total de Holanda, aunque ahora forme parte de Air France. En la actualidad, dos tercios de la economía nacional se dedican al sector servicios. Mientras otros fabrican los productos, los holandeses los compran, los venden y los transportan.

La comunidad *judía*

"Algún día esta horrible guerra habrá terminado", escribió Ana Frank en su diario en abril de 1944, "algún día volveremos a ser personas y no solamente judíos. […] Nunca podemos ser sólo holandeses o sólo ingleses o pertenecer a cualquier otra nación: aparte de nuestra nacionalidad, siempre seguiremos siendo judíos, […] pero también queremos seguir siéndolo".

LA PRIMERA COMUNIDAD JUDÍA

Desde el siglo XVI Amsterdam ha sido lugar de refugio de miles de judíos obligados a salir de sus países de origen en Europa oriental y meridional. Pero incluso en una ciudad tan liberal y tolerante como Amsterdam se les sometió a restricciones durante 200 años, hasta que a finales del siglo XVIII, la Ley de Igualdad Civil puso fin a esta discriminación.

EL FASCISMO Y LA GUERRA

Cuando en 1933 el partido de Adolf Hitler llegó al poder en Alemania, Holanda se convirtió en lugar de refugio para muchos judíos. La familia de Otto Frank vivía en Francfort –ciudad en la que nació Ana Frank el 12 de junio de 1929– y se trasladó a Amsterdam, donde vivió cómodamente hasta que estalló la guerra en Europa, el 1 de septiembre de 1939. En mayo los nazis ocuparon Holanda y comenzaron las persecuciones contra los judíos. Meses después, los funcionarios holandeses se vieron obligados a firmar una declaración de su origen ario (no judío), al mismo tiempo que los judíos tuvieron que inscribirse en un registro obligatorio. En febrero de 1941 murió un miembro del partido nazi holandés en una revuelta, a lo que los alemanes contestaron arrestando a 400 judíos. Éstos a su vez apelaron al movimiento sindical holandés para que convocara una huelga general de protesta por la persecución, que se sigue rememorando cada año.

A partir del 3 de mayo de 1942, se obligó a los judíos a

Abajo: tras la llegada al poder de Hitler en Alemania en 1933, el fascismo se extendió a toda Europa

Izquierda: a la entrada de la Westerkerk se erige una estatua en memoria de Ana Frank

llevar una estrella amarilla, al mismo tiempo que los ocupantes requisaron sus negocios. En 1943 ya se arrestaba a miles de judíos y se les enviaba a los llamados *campos de trabajo* de Alemania. De los 140.000 judíos que habitaban en Holanda cuando se produjo la invasión nazi, 107.000 fueron deportados a los campos de concentración. Fueron muy pocos los que sobrevivieron a esta experiencia.

PASAR A LA CLANDESTINIDAD

La familia Frank estaba entre los muchos judíos que pasaron a la clandestinidad. Algunos holandeses protagonizaron verdaderos actos heroicos para protegerlos, aunque la mitad de los 16.000 judíos que se ocultaron terminó siendo capturada y enviada a campos de exterminio. Nadie sabe a ciencia cierta cuál fue la causa por la que descubrieron a la familia Frank, pero cuando los nazis y sus colaboradores holandeses –que cobraban 7 florines por cada judío al que traicionaban– allanaron la casa de Prinsengracht, 263 (➤ 94–97), fueron directos a la estantería que ocultaba la entrada al lugar secreto. Otto Frank fue el único que sobrevivió a los campos de exterminio a los que se destinó a su familia y en 1947 publicó el diario de Ana. La Casa de Ana Frank se ha convertido en un santuario del espíritu humano.

Arriba: la Casa de Ana Frank se ha convertido en uno de los lugares más visitados de Amsterdam

REMBRANDT, EL PINTOR MÁS ILUSTRE

El 15 de julio de 2006 fue un día de celebraciones en conmemoración del 400 aniversario del nacimiento del ciudadano más ilustre de la ciudad. Sin embargo, cuando Rembrandt Harmenszoon van Rijn murió en 1669 era un pobre marginado rechazado por los ricos ciudadanos que previamente le habían ensalzado.

Rembrandt nació en 1606 en Leiden (► 170–171), al sur de la ciudad, y pasó sus primeros 25 años de vida aquí. Su padre era molinero y pronto ideó grandes planes para su hijo.

A la tierna edad de 14 años, Rembrandt consiguió una plaza en la universidad de Leiden, aunque la abandonó para estudiar pintura. En los tiempos en que el barroco italiano deslumbraba al mundo, Rembrandt aprendió con un maestro local, Jacob van Swanenburch, y estudió en Amsterdam durante 6 meses a las órdenes de Pieter Lastman, quien le hizo ahondar en la intensa humanidad que caracteriza la mayoría de sus obras.

Arriba: en la Casa de Rembrandt se encuentran muchas de las curiosidades del artista

Arriba izquierda: estatua de Rembrandt en la Remblandtplein

Izquierda: la sala y el dormitorio del artista

Posteriormente volvió a Leiden y comenzó a impartir clases, aunque pronto consideraría la necesidad de cambiar de residencia.

del Dr. Tulp, que en la actualidad se expone en la Mauritshuis de La Haya y que fue un ejemplo clásico de la agrupación de los miembros de

CAMINO A AMSTERDAM

En 1631 Rembrandt se trasladó a Amsterdam. Era una época de prosperidad debida a la Compañía Holandesa de las Indias Orientales (➤ 16–17) y había una gran multitud de ricos mercaderes encargando obras bíblicas y retratos. Rembrandt se caracterizó por utilizar como modelos a los miembros de su familia: su madre encarnando a la profetisa Ana se halla en el Rijksmuseum (➤ 114–117). Un año después de su llegada a Amsterdam recibió su primer encargo público para la obra *Lección de anatomía*

un oficio, en este caso el Gremio de Cirujanos, para costear un retrato de grupo. Rembrandt también tenía afición a los grabados; muchas de sus obras en esta técnica se encuentran expuestas en el Museum het Rembrandthuis (➤ 66).

FAMA Y FORTUNA

Además de a su propia obra creativa, Rembrandt se dedicó a comerciar con los esfuerzos de los demás. En esta faceta, consiguió una fortuna de 100 florines gracias a la compra y venta de la obra *Hero y Leandro*, de Rubens.

Rembrandt siempre estuvo atento a los beneficios y tomó a miembros de su familia como modelos. Éste es su hijo, Titus.

Dos de los museos principales de Amsterdam son el **Rijksmuseum** (▶ 114–117) y el **Van Gogh Museum** (▶ 124–127), ambos situados en el Barrio de los Museos y separados solamente por unos cuantos minutos. Aunque en otras grandes ciudades europeas las iglesias albergan importantes obras, en Amsterdam la reforma del catolicismo al protestantismo supuso la retirada de gran parte de su decoración. Probablemente, el protagonista artístico sería el órgano de la **Westerkerk** (▶ 92–93), con su preciosa ornamentación.

La colección de arte moderno del **Stedelijk Museum** (▶ 122–123) se encuentra ubicada temporalmente en el antiguo edificio de correos. El sitio idóneo para ver arte del siglo XXI es el **Westergasfabriek** (▶ 100), una fábrica de gas restaurada en la que se exhiben todo tipo de montajes contemporáneos.

Sin duda, Rembrandt se casó por amor, aunque su matrimonio con Saskia van Uylenburgh en 1634 fuese comercialmente provechoso. De familia acaudalada, su esposa era además prima de un destacado marchante de arte y, gracias a esos contactos, Rembrandt se formó una lucrativa cartera de comisiones.

Poco después, Rembrandt comenzó a recibir peticiones para dar clases, de manera que sus alumnos le ayudaron a abastecer la demanda de retratos, pinturas religiosas y paisajes seculares. Aún hoy se discute la autoría de algunas de las obras que se le han atribuido.

En 1639, la pareja se mudó a una espectacular casa situada en el barrio judío, vivienda que les costó seis veces más del precio medio de la época en Amsterdam.

LA MEMORABLE DÉCADA DE 1640

Durante la década de 1630, Rembrandt y Saskia tuvieron tres hijos, aunque todos ellos murieron durante la infancia. Finalmente, en 1641 Saskia dio a luz a un niño que sobrevivió, Titus, aunque ella murió al año siguiente, dejando su fortuna en testamento a su hijo y encomendando la gestión a su marido hasta que volviese a casarse. Al año siguiente, Rembrandt terminó su obra más aplaudida: *La compañía del capitán Frans Banning Cocq*, en la que se retrata a un

El Waag, que en su día albergó un quirófano, fue la escena de una de las obras de Rembrandt más aplaudidas

grupo de la Guardia Cívica en actitud espontánea y altiva. Con el tiempo, el cuadro se oscureció tanto que pasaría a conocerse como *La ronda de noche*, que en la actualidad se exhibe en el Rijksmuseum.

A pesar de la riqueza de detalles que muestran algunos de sus paisajes, Rembrandt no visitó lugares lejanos ni fue demasiado aficionado a los viajes, aunque destinó algunos de sus ingresos a comprar todo tipo de objetos exóticos provenientes de Asia y de las Américas, que hoy en día se exponen en la Casa de Rembrandt.

DECLIVE Y CAÍDA

En 1649 el artista contrató los servicios de una sirvienta, Hendrickje Stoffels, que pronto pasaría a ser su amante. Aunque la relación fue un tema recurrente en los corrillos de la sociedad de Amsterdam, la mayoría aceptó su relación y el artista continuó realizando excelentes obras, muchas de las cuales cuelgan en las paredes de museos internacionales, como *Natán reprochando a David su pecado*.

El extravagante estilo de vida de Rembrandt y su creciente desdén por los plazos de entrega terminaron por propiciar su ruina económica; se declaró en bancarrota en 1656, con lo que se subastó su colección de arte y antigüedades para saldar sus deudas. Aunque no del todo por elección propia, siguió trabajando; su representación de 1661 de *Los síndicos del gremio de los pañeros*, que hoy en día se encuentra en el Rijksmuseum, muestra su talento intacto.

En 1663 murió Hendrickje y sólo cinco años más tarde, su hijo Titus. Finalmente, arruinado y en soledad, el pintor murió el 4 de octubre

de 1669. Se desconoce el lugar de su sepultura, pero su legado sigue vivo.

TRAS LAS HUELLAS DE REMBRANDT

En el número 20 de la Nieuwe Doelenstraat, el café De Jaren ocupa ahora el lugar donde Rembrandt vivía cuando se casó con Saskia. Un *pub* escocés que forma parte del hotel Doelen, el Balmoral, se alza en el lugar donde en 1642 pintó *La ronda de noche*.

Siguiendo hacia el norte por Kloveniersburgwal, la Trippenhuis albergó originariamente la colección del Rijksmuseum; en la punta norte se sitúa el Waag, la enorme puerta de guardia que hoy acoge un café en cuya planta superior, más tarde usada como quirófano, Rembrandt pintó *La lección de anatomía del Dr. Tulp*.

Continuando desde aquí hacia el sureste, se vislumbra la Casa de Rembrandt, milagrosamente conservada en un área en la que muchos edificios se han perdido.

La Casa de Rembrandt ha sobrevivido a cuatro turbulentos siglos

La bicicleta, el mejor medio de transporte

La bicicleta es un reflejo perfecto de Amsterdam: a escala humana, a veces elegante y siempre manejable. También es la mejor forma de moverse por la ciudad, teniendo en cuenta que es llana y poco dispersa y que sus calles y puentes estrechos son más prácticos para los ciclistas que para el transporte motorizado. Existen 400.000 bicicletas repartidas entre 750.000 habitantes, la concentración más alta de Europa.

La ciudad está hecha a medida para los ciclistas, llena de carriles bici que normalmente están separados del tráfico y de los peatones. Además, es muy llana, con lo que sólo hay que esforzarse para cruzar uno o dos puentes empinados.

Como cada vez es más difícil aparcar, mucha gente está cambiando el coche por la bicicleta, de manera que incluso la amplia y bulliciosa carretera que hasta 1999 cruzaba la Museumplein se ha convertido en un jardín surcado por carriles bici.

Amsterdam es una ciudad pensada para ir a dos ruedas

Bicicleta para cuatro personas

PROS Y CONTRAS

Las bicicletas típicas son los oxidados modelos de paseo, ya que no llaman la atención de los ladrones.

NORMATIVA Y SEGURIDAD

En teoría, los ciclistas deben respetar las leyes de circulación y no deben conducir bajo los efectos del alcohol o de las drogas, aunque en la práctica, el término que mejor describe la circulación ciclista en la ciudad es el de *caos organizado*. Las calles de un solo sentido se consideran desde distintas perspectivas: una molestia para unos, un desafío para otros o un atentado a los derechos de los ciclistas para los más activistas a favor de las dos ruedas. Aunque los choques entre bicicletas son bastante frecuentes, el mayor peligro proviene de la invasión de los carriles bici más bulliciosos por parte de los peatones.

Una de las cosas más difíciles de conseguir es evitar que las ruedas se queden enganchadas en las vías de los tranvías; hay que cruzarlas con un ángulo amplio y prestar atención en la plaza Dam y en la Centraal Station, donde se concentran más vías.

¿BICIS GRATUITAS PARA TODOS?

En la década de 1960 la ciudad repartió cientos de *bicicletas blancas* de forma gratuita, de manera que los ciudadanos pudiesen coger una, llevarla hasta su destino y dejarla allí para el siguiente ciclista. En pocos días no quedó ni rastro de ellas.

Se han llevado a cabo algunos otros intentos puntuales de crear una flota de bicicletas al servicio de los ciudadanos de Amsterdam, pero ninguno ha tenido éxito hasta la fecha.

La bicicleta típica de Amsterdam se caracteriza por ser barata y cómoda

Alquiler de bicicletas

Cualquier bicicleta en buen estado será un objetivo instantáneo para los ladrones, así que es mejor alquilar una que traerse una propia.

El precio normal de una bicicleta presentable es de 3 € por una hora o 15 € por un día completo. Conviene comprobar los frenos y asegurarse de que el sillín y el manillar están firmes. También se puede pedir o alquilar un casco. En la mayoría de los sitios, hay que dejar un depósito (algunos lo prefieren en metálico, en lugar de con tarjeta de crédito) y a veces también el pasaporte.

Bike City
✉ Bloemgracht 68–70, Jordaan ☎ 020 626 3721; www.bikecity.nl 🚊 13, 14, 17 hacia Westermarkt

Damstraat Rent-a-Bike
✉ P Jacobszdwarstraat 7–13, esquina sureste de la plaza Dam ☎ 020 625 5029; www.bikes.nl 🚊 4, 9, 14, 16, 24, 25 hacia Damrak

Orange Bike ✉ Singel 233 ☎ 020 528 9990; www.orangebike.nl 🚊 2, 4, 9, 16, 24, 25 hacia la plaza Dam

Holland Rent-a-Bike Beurstalling
✉ Damrak 247 ☎ 020 622 32 07 🚊 4, 9, 16, 24, 25

Mac Bike
✉ Mr Visserplein 2, cerca de Waterlooplein ☎ 020 620 0985; www.macbike.nl 🚊 9, 14; también en
✉ Weteringschans 2, cerca de Leidseplein ☎ 020 620 0985 🚊 1, 2, 5, 6, 7, 10

La vida social en los cafés

Para muchos turistas visitar la ciudad es una excusa para ocupar su tiempo mientras merodean por los 1.400 cafés. Los habitantes de Amsterdam conciben los cafés casi como su segunda vivienda, como lugares donde quedar con los amigos o simplemente para pasar una tarde relajada leyendo el periódico. El mejor ejemplo es la personificación del *gezelligheid,* que se traduce aproximadamente como un ambiente cargado de intimidad y sociabilidad. Este concepto es parte integrante de la mentalidad nacional.

El uso holandés de la palabra café es algo confuso para los extranjeros, ya que describe no sólo un lugar donde poder tomar una taza de café o un aperitivo, sino que también se refiere a los lugares donde beber es la actividad principal. El término café también engloba establecimientos que preparan habitualmente comidas.

'BRUINE CAFÉS'

Son los cafés típicos de Amsterdam: el aspecto de los más antiguos, que datan de la época de 1600, parece extraído de alguna de las obras de Rembrandt o Vermeer. Se dan un aire a los viejos *pubs* británicos, aunque con un ambiente más íntimo y familiar. Su designación como *bruine cafés* (cafés marrones) se debe al color de techos y paredes a causa del tabaco (aunque sería más bien color mostaza) y a sus paneles y suelos de madera. También son elementos típicos de estos cafés las alfombras persas, los visillos en las ventanas, los periódicos en las estanterías, las velas encendidas, los brillantes grifos de latón sobre la vieja barra desgastada, y por supuesto, un gato dormitando en una vieja silla. Normalmente el camarero está absorto en su conversación con algún vecino y el número de hombres sobrepasa al de mujeres. Además de alcohol, tienen siempre café; la oferta

en cuanto a comida varía de un sitio a otro, pero normalmente incluye sándwiches sencillos, croquetas, frutos secos, queso, huevos duros (que se exhiben en una vitrina en la barra) y a veces algunos postres, como la tarta de manzana.

Los mejores *bruine cafés*:
Café Papeneiland (➤ 101),
Café 't Smalle (➤ 102),
Café de Dokter (➤ 70),
Hoppe (➤ 71),
Oosterling (➤ 156),
In de Wildeman (➤ 72).

una *jenever* rápida (ya que muy pocos disponen de sitio para sentarse) antes de marcharse a casa.

Los mejores bares de degustación: De Drie Fleschjes (➤ 71), Wynand Fockink (➤ 73).

'GRAND CAFÉS'
En la década de 1980 empezaron a surgir modernas alternativas a los nostálgicos *bruine cafés*, con más ventilación y más luz. Algunos de ellos, conocidos

Abajo: uno de los mejores *bruine* cafés es el Papeneiland

BARES DE DEGUSTACIÓN
Antiguamente, los destiladores de *jenever* (ginebra holandesa) y licores daban a probar una muestra a sus clientes antes de que comprasen una botella o un barril. En la actualidad sólo se mantienen unos pocos *proeflokalen*, o bares de degustación, que además ahora cobran por las bebidas. Los habitantes locales suelen pasarse por ahí para tomar

como bares de diseño, se convierten en la morada nocturna de una multitud chic, con música actual y un desafiante estilo moderno.

Los mejores, con sus techos altos, las brillantes vitrinas en la barra y las mesas de lectura llenas de revistas y periódicos, reproducen algo del estilo de las cafeterías vienesas y de los cafés parisinos más de moda. La mayoría sirve comidas, desde aperitivos al mediodía hasta cenas de tres platos.

Los mejores *grand cafés:*
Café Américain (➤ 101),
Café de Jaren (➤ 70),
Café Luxembourg (➤ 70),
De Kroon (➤ 156).

'EETCAFÉS'

En esta categoría se engloban tanto los *bruine cafés* como los cafés más modernos donde, a pesar de que la gente puede acudir simplemente a tomar una copa, el énfasis se pone en la comida (hay quien los llama *petits restaurants*). Solían especializarse en los económicos platos holandeses tradicionales, pero actualmente muchos

disponen de una carta más atrevida y de mayor calidad. A la hora de almorzar, son una excelente opción.

Los mejores *eetcafés:*
Café de Prins (➤ 102),
Spanjer & Van Twist (➤ 102),
't Gasthuys (➤ 71),
Walem Café (➤ 103).

Cibercafés

Muchos *coffee shops* disponen de un par de ordenadores con conexión a Internet. Otra opción es acudir al easyInternetCafé, situado en Damrak, 23, y abierto todos los días de 10.00 a 22.00; tiene 100 ordenadores e Internet en la calle.

SALONES DE TÉ

Son lugares diurnos en los que se sirven sándwiches, tartas y dulces, té y café. Algunos de ellos se encuentran dentro de centros comerciales y otros son pequeños saloncitos situados en la parte trasera de las *pâtisseries.*

Los mejores salones de té:
Backstage (➤ 155),
Pompadour (➤ 105),
Villa Zeezicht (➤ 72).

Arriba: puesto de acceso a Internet situado en una calle de Amsterdam

Izquierda: la mayoría de los *coffee shops* tienen un menú original

'COFFEE SHOPS'

Desde mediados de la década de 1970 las autoridades holandesas permiten la venta y el consumo de pequeñas cantidades de drogas blandas (hachís y marihuana), alegando que con esta práctica se mantiene a los consumidores alejados de la clandestinidad criminal. Sin embargo, otros países se muestran críticos con esta actitud liberal, y afirman que la exportación nacional de éxtasis supera a la de queso. También dentro del país hay una parte de la población que muestra su desacuerdo con este particular enfoque respecto a las drogas.

Sea como fuere, aún se puede fumar con total impunidad en uno de los 300 establecimientos que se autodenominan *coffee shops* (tienen una pegatina verde y blanca en la ventana) y que cuentan con licencia oficial para vender drogas blandas.

Los *coffee shops* pequeños conservan la carta de drogas debajo o sobre la barra, mientras que los más grandes las venden en un puesto separado. Se puede comprar como máximo una bolsa (5 gramos) o un porro ya liado, y se puede fumar en el local o, como hacen la mayoría de holandeses, llevárselo fuera (aunque por supuesto, no fuera del país). Estos establecimientos también suelen vender pastelitos de marihuana, cuyo efecto, aunque más tardío, es más fuerte. En la actualidad, la venta de alcohol en los *coffee shops* está prohibida.

El ambiente de estos lugares es enormemente variado: los del centro de la ciudad suelen ser antros psicodélicos e inconformistas, mientras que en los de la cadena Bulldog reina un ambiente desenfadado y

Los *coffee shops* registrados muestran una pegatina oficial

comercial. Los más atractivos son: Rusland, del que se dice que es el más antiguo de la ciudad (Rusland, 16); Barney's, que tiene que la particularidad de servir desayunos durante todo el día (Haarlemmerstraat, 102); La Tertulia, un café diurno de aspecto inocente (Prinsengracht, 312); y De Rokerij (Lange Leidsedwarsstraat, 41), un local exótico de ambiente festivo durante las noches.

INSTANTÁNEAS DE AMSTERDAM

Arriba: un barco de la flota turística

Arriba izquierda: hastiales luchando por captar las miradas

Arriba: estatua en memoria de Vondel en el Vondelpark

Izquierda: la Oude Kerk, una de las iglesias más antiguas de la ciudad

Derecha:
la ciudad
de las flores

**Abajo: la vida
en el agua**

Arriba:
Nieuwmarkt

**Abajo: los alrededores
del Jordaan**

Arriba:
una forma
estupenda de
moverse
por la
ciudad

**Izquierda: jarra
conmemorativa
de la Heineken
Experience**

**Arriba (superior):
el río Amstel**

**Arriba (inferior):
tulipán del
Keukenhof**

ARENQUES
y Heineken

El pescado y la cerveza han sido muy importantes para Amsterdam. En la Edad Media los pescadores mejoraron el método de curación de los arenques limpiando el pescado antes de tratarlo con sal para transportarlo en los largos viajes marítimos. El ilustre crítico gastronómico, Johannes van Dam, lo describe poéticamente: "Gracias a la plata del mar, los holandeses entraron en la Edad de Oro".

Mientras tanto, los cofres de la ciudad se llenaban gracias al conde de Holanda, que en 1323 designó Amsterdam como uno de los únicos dos puertos de la zona con permiso para importar cerveza de Hamburgo, la ciudad productora de cerveza más importante del norte de Europa. No se exagera al decir que los ciudadanos de Amsterdam del siglo XIV eran unos inexpertos medievales en cuanto a cerveza, aunque aun así ésta resultaba una bebida mucho más saludable que el agua en aquella época.

EL ARENQUE HOLANDÉS

A los holandeses les encantan los arenques y se los comen de formas variadas: crudos o

Los arenques se preparan de diversas formas

en salazón (*maatjes haring*), como los sirven en los puestos callejeros; en banderillas, al estilo típico de Amsterdam; o cogiendo el pez por la cola para llevárselo entero a la

por la llegada anual de los arenques más frescos y pequeños (conocidos en

Arriba: arenques en escabeche, un sabor importado

boca, como hacen en el resto de Holanda. Los no iniciados pueden enmascarar el sabor marino acompañándolo con cebolla picada, o comiéndose los arenques en bocadillo. Suelen dejar un gusto fuerte que se puede prolongar unas horas.

Antiguamente, a finales de mayo o principios de junio, se formaba bastante expectación

holandés como *groene* o arenques verdes). La legislación actual establece que todo el arenque curado debe producirse partiendo de pescado congelado, para evitar parásitos. Hoy día, no se aprecia mucha diferencia entre el sabor de los arenques *groene* y el de los *maatjes*.

Arriba: un aperitivo sencillo, arenques con pan de centeno

LA HISTORIA DE HEINEKEN

En 1864 Heineken comenzó a fabricar cerveza en Amsterdam, escalando hasta convertirse a día de hoy en la segunda compañía cervecera más grande del mundo (por detrás de la estadounidense Anheuser-Busch) y llegando a venderse en 170 países. La compañía atribuye una gran parte de su éxito al cultivo de la levadura A de Heineken, conseguida en 1886: aún hoy, la fábrica principal ubicada cerca de Amsterdam realiza un envío mensual de esta levadura a sus 100 fábricas en el extranjero.

A pesar de que la fábrica de Amsterdam cerró su producción en 1988 y actualmente se mantiene como atracción turística (► 141), la presencia de Heineken en la ciudad sigue siendo inevitable: diariamente Heineken pasea un carro de caballos lleno de barriles por sus calles; además, la compañía es propietaria del famoso hotel De l'Europe y del café Heineken Hoek, situado justo en mitad de Leidseplein, la plaza más concurrida de la ciudad. Los más suspicaces podrían sugerir que su principal objetivo es servir de soporte a las enormes señales publicitarias situadas encima de los locales: en el café, dos vasos de líquido amarillo de neón se llenan y vacían continuamente.

Al pedir una cerveza cualquiera en un café (una *bier* o *pils*), con toda probabilidad le pondrán una Heineken Pilsener servida en un vaso de 25 cl en forma de macetero, con unos dos centímetros de espuma. Lo normal en los *bruine cafés* es pedir en la barra y pagar en el momento o, si piensa quedarse a tomarse unas cuantas, pedir una cuenta.

OTROS FABRICANTES

Para contribuir a las arcas de alguna compañía distinta a Heineken, no se debe pedir una Amstel, la segunda cerveza más vendida en Holanda, que toma su nombre en honor del río que atraviesa Amsterdam. En 1969 Amstel pasó a ser filial de Heineken, e incluso se produce en las mismas fábricas. Heineken también adquirió la marca Murphy's Irish Stout en 1986.

Varios cafés, como el **In de Wildeman** (► 72), se caracterizan por ofrecer una amplia gama de cervezas. Muchas de ellas provienen de la frontera con Bélgica, país al que muchos entendidos consideran como productor de las mejores cervezas del mundo, y que normalmente no tienen nada que ver con las cervezas producidas de forma masiva.

El mejor establecimiento cervecero es el De Bierkoning, situado en Paleisstraat, 125, cerca de la plaza Dam, donde tienen 950 variedades, incluyendo cerveza en botellas de champán, cervezas trapenses belgas o la Pilsener original checa.

Información general

Al llegar

Amsterdam merece ser premiada con la mención de ciudad más accesible de Europa, ya que es fácil llegar en avión, tren y barco.

Aeropuerto de Schiphol

Desde que en 1920 despegaran los primeros vuelos comerciales, el aeropuerto de Amsterdam ha ido creciendo hasta convertirse en uno de los centros aeroportuarios más importante de Europa.

- **Schiphol** (www.schiphol.nl), situado a 18 km al suroeste de la ciudad, es probablemente el más cómodo de los grandes aeropuertos europeos para los pasajeros, con una única terminal bastante eficiente y una conexión fácil con el centro de la ciudad mediante el trasporte público. También se gana una visita por derecho propio (➤ 172).
- La oficina de información turística (abierta de 7.00 a 22.00), ubicada en la **sala de llegadas 2,** ofrece información de toda Holanda, aunque para información específica de Amsterdam es más aconsejable esperar hasta llegar a la ciudad.

Cómo llegar al centro

En tren

- Es la **forma más rápida y barata** de llegar a Amsterdam, el precio del trayecto es 3,60 € y los trenes salen desde la estación construida detrás de la explanada del aeropuerto.
- De 6.00 a 24.00 hay un mínimo de 5 trenes por hora, y a partir de entonces, una salida cada hora. Los **trenes lentos** tardan 20 minutos en llegar a la Centraal Station de Amsterdam, mientras que los trenes exprés sin paradas tardan algunos minutos menos.
- Se debe **sacar el billete antes** de subir o arriesgarse a pagar las altas multas que ponen una vez dentro del tren.
- **Preste atención a su equipaje,** el trayecto de Schiphol al centro de la ciudad es uno de los preferidos por los ladrones.

En autobús

- Hay **autobuses de conexión con el aeropuerto** (www.airporthotelshuttle.nl) con salida hacia muchos de los grandes hoteles por 12 € ida o 19 € ida y vuelta. De 6.00 a 21.00 hay salidas **cada media hora.**
- Aunque algunos hoteles tienen fácil acceso en autobús, no es el caso de la mayoría, así que conviene comprobarlo antes de subir. El **viaje desde o hacia el aeropuerto** tiene una duración de entre 20 y 50 minutos, dependiendo de la ubicación del hotel dentro de la ruta por la ciudad.

En taxi

- El **precio del trayecto en taxi hasta el centro** de la ciudad puede ascender a unos 37 €.
- **Normalmente es más rápido** ir en tren hasta la Centraal Station y una vez aquí coger un taxi.

Centraal Station

No importa el medio de transporte elegido para llegar a Amsterdam: en avión y luego en tren hasta la ciudad; en tren desde cualquier otro lugar de Europa; o tomando la conexión marítimo-ferroviaria desde Harwich vía Hoek van

Holland, el destino es una estación que en sí misma es todo un monumento histórico (▶ 68).

■ La estación es el **lugar de Amsterdam más frecuentado por carteristas y estafadores,** cuyo objetivo principal son los turistas.

■ En las máquinas expendedoras de billetes, es posible verse **abordado por alguien que intenta vender un billete**. No hay que aceptar la oferta, ya que suele tratarse de billetes falsos o más caros.

■ Si se desea información turística, **hay que subir a la Plataforma 2.**

■ La **parada de taxis se encuentra a la derecha de la entrada principal,** al igual que las paradas de los tranvías 1, 2, 5, 13 y 17.

■ A la izquierda se sitúan las **paradas de los tranvías** 4, 9, 16, 24, 25 y 26 y la entrada al metro.

■ Más allá, el edificio blanco de madera que fue en su día una estación de tranvías, hoy es la **oficina de información turística principal.**

■ A la izquierda se sitúa la oficina del **GVB (transporte público),** donde se pueden adquirir los abonos de transporte.

Oficinas turísticas

■ El servicio de información de Holanda es una organización comercial que se conoce como el **VVV (Vereniging Voor Vreemdelingenverkeer).** Aquí contestan preguntas específicas, aunque normalmente hay largas colas. Además, **pueden cerrar la oficina** hasta un máximo de media hora si hay más clientes de los que el personal puede atender.

■ **Stationsplein** (frente a la Centraal Station, oficina principal) todos los días, 9.00–17.00; cerrado 1 ene, 25 dic.

■ **Centraal Station** (Plataforma 2) lu–sá 8.00–20.00, do 9.00–17.00; cerrado 1 ene, 25 dic.

■ **Leidseplein/Stadhouderskade** (cerca del American Hotel), todos los días, 9.30–17.30; cerrado 1 ene, 25 dic.

■ Además, el **servicio de información telefónica** (tel: 020 551 2525) ofrece asistencia lu–vi 9.00–17.00. Véase también www.amsterdamtourist.nl

Cómo desplazarse

Cómo orientarse

El trazado de Amsterdam sigue todavía el diseño de 1609. El centro, en el que se aglutinan la mayoría de lugares de interés, es un conjunto de islas divididas por los canales y conectadas por puentes. Todo esto forma un semicírculo, en el que el río IJ constituye la parte recta y los canales principales se extienden de forma concéntrica, como las ondas que se dispersan en un lago.

■ Los canales principales son (de dentro a fuera) Herengracht, Keizersgracht y Prinsengracht. **El sufijo *gracht* significa canal.** Una serie de canales de menor importancia se ha ido añadiendo a éstos en forma radial desde el centro o cortando a los demás canales de forma aleatoria.

■ Para complicar las cosas, las **adiciones más importantes posteriores a 1609** son Singelgracht (a continuación de Prinsengracht) y Singel (sin el *gracht*), dentro de Herengracht.

■ En el anillo este **el sistema se ve interrumpido** por el amplio río Amstel.

Zonas

Además de las divisiones que se utilizan en esta guía, se deben conocer unas cuantas zonas más pequeñas situadas a continuación del río IJ.

- **De Wallen** – literalmente las murallas, que antiguamente rodeaban el río; en la actualidad, gran parte del Barrio Rojo de Amsterdam.
- **De Pijp** – justo al sur del centro, es una zona multicultural con muchos inmigrantes de antiguas colonias holandesas de Asia y América Latina.
- **Spiegelkwartier** – elegante zona comercial de obras de arte y antigüedades que gira en torno a Nieuwe Spiegelstraat.
- **Spuikwartier** – una zona llena de vida en torno a la mitad sur de Spuistraat, confluye en la plaza conocida como Spui.
- **9 Straatjes** – plaza en tres bloques situada justo al oeste, literalmente 9 Calles.
- **Jordaan** – de nuevo al oeste, es el barrio de la ciudad que está viviendo una mayor prosperidad.

Calles

Las calles más importantes que salen de la estación son:
- **Prins Hendrikkade** – se extiende del sureste a la zona portuaria.
- **Zeedijk** – forma una curva hacia el sur pasado el Barrio Rojo hasta llegar a Nieuwmarkt.
- **Damrak** – se desliza directamente hacia el suroeste hasta la plaza principal, Dam.
- **Nieuwendijk** – al oeste de Damrak y paralela a ésta, es una de las principales calles comerciales de la ciudad.
- **Nieuwzijds Voorburgwal** – otra paralela a Damrak, alberga la mayor parte de tranvías y conduce a muchas de las zonas más turísticas.
- **Leidsestraat** – cruza Herengracht, es la antigua carretera de Leiden que lleva a la bulliciosa zona turística de Leidseplein.
- **Haarlemmerstraat** – antigua carretera de Haarlem, se extiende hacia el oeste y separa el Jordaan de las islas Occidentales.

Transporte público

En el centro de Amsterdam las distancias son cortas, de manera que muchos turistas nunca pisan un tranvía, ni un autobús, ni el metro. Sin embargo, en días fríos y lluviosos, pueden ser una buena alternativa. El sistema de transporte público local es excelente; toda la información está en www.gvb.nl

Tranvías

- Todos los servicios **salen de la Centraal Station.**
- **Normalmente es muy fácil identificar las paradas de tranvía,** disponen de un panel indicador con los tres próximos servicios previstos.
- **Hay que apretar el botón** algo antes de llegar a la parada para asegurarse de que el conductor pare.
- Conviene tener cuidado al bajar, ya que muchas de las paradas están **en mitad de la calle.**

Autobuses

- El horario normal de tranvías, autobuses y metro es de 6.00 a 0.30. Entre las 24.00 y las 6.30 los sustituyen los **autobuses nocturnos,** que cubren una docena de rutas cuyo punto de partida y llegada es la Centraal Station.
- El **Opstapper** es un minibús que cubre la mayor parte de la longitud de Prinsengracht desde la Centraal Station a Waterlooplein/Stopera.

Metro

La construcción del metro es todo un reto en una ciudad que está, en su mayor parte, por debajo del nivel del mar. Por esta razón la red es tan pequeña.

- **Una única línea pasa al sureste de la Centraal Station,** con dos ramas que se extienden hasta zonas con una gran concentración de viviendas a las que no suelen acudir los turistas.
- Otras dos ramas **se prolongan hasta las afueras de la ciudad,** una de las cuales rodea su perímetro hasta un punto bastante cercano a la Centraal Station.
- Una **nueva línea,** cuya finalización está prevista para 2012, conectará Amsterdam Noord (al norte del IJ) con las zonas centrales de la ciudad.

Billetes y tarifas

- Existe un **sistema de billetes común** para autobuses y tranvías válido en todo el país.
- También disponen de un **sistema uniforme de billetes por tiras.** Un billete de 2 tiras cubre un viaje de ida en una misma zona, mientras que con uno de 3 tiras se pueden hacer múltiples viajes en una hora.
- Los billetes de metro **se compran en la oficina de la estación** y en los autobuses y tranvías se puede pagar directamente al conductor. En los tranvías, si hay un cartel que pone *Conductorstram*, se debe entrar por la puerta trasera y pagar al conductor. De todos modos, si se compran bonos prepago, el viaje es mucho más barato: véase más abajo.

Descuentos y bonos

- Si se piensa utilizar mucho el transporte público, conviene adquirir un **bono de 15 viajes** (llamado Nationale Strippenkaart), que supone un ahorro de casi el 50%. Puede adquirirse en las estaciones de metro y de tren, las oficinas VVV, los quioscos de prensa, los estancos, las oficinas de correos y los supermercados, aunque no a bordo de tranvías ni autobuses.
- Al subir a un vehículo se debe **sellar el número de tiras necesario** (normalmente 2) en la máquina selladora.
- La tarjeta **I amsterdam Card** incluye un uso ilimitado del transporte público, un crucero por los canales, entrada a los museos principales y descuentos en otras múltiples atracciones, así como en bares y restaurantes. Toda la información está en la web www.iamsterdamcard.com. Su precio es de 33 € para 24 horas, 43 € para 48 y 53 € para 72 horas. La **Museumjaarkaart** (MJK), de venta en los principales museos, es un bono anual económico que incluye entrada gratuita a más de 400 museos de Holanda. Estas tarjetas no dispensan de hacer cola en caja para que la visita quede registrada.

Taxis

- No cuente con coger un taxi por la calle: la **mayoría de ciudadanos locales lo piden por teléfono** (tel: 020 677 7777) o van a una parada.
- Las paradas de taxi suelen estar en los principales cruces o en la puerta de los grandes hoteles.
- La mayoría de los pasajeros **redondean el precio,** pero rara vez dejan propinas sustanciosas.

Bicicletas

- No existe ninguna otra ciudad **tan bien diseñada para las bicicletas:** hay multitud de carriles bici, no hay cuestas y las distancias son cortas. Para saber dónde alquilar una bicicleta, ► 25.

Barcos

Además de los recorridos por los canales que ofrecen rutas fijas (► 84–87), existen otras tres formas de moverse por el agua.

- Para el *Canal Bus* (www.canal.nl) se puede comprar un billete con validez diaria (o la versión algo más cara, que incluye otras formas de transporte). Existen 3 rutas principales, a las que se unen 2 más prestadas por unos nuevos barcos pequeños y eléctricos, más silenciosos y ecológicos, llamados *Canal Hoppers*.
- El **Museumboot/City(s)hooper** (www.lovers.nl) sale de la Centraal Station y para en 5 puntos cercanos a atracciones turísticas: la Casa de Ana Frank, el Barrio de los Museos, el mercado de las Flores, Waterlooplein y NEMO. El billete diario incluye viajes ilimitados y descuentos en la entrada de numerosos museos. Los barcos tienen horarios regulares.
- Los **taxis acuáticos** deben reservarse por adelantado (tel: 020 535 6363; www.water-taxi.nl) y son bastante caros.

Coche
- El coche **no es el medio ideal para moverse** en Amsterdam, ya que el aparcamiento es escaso y caro y el sistema de circulación es complicado, con calles de un solo sentido.
- Hay que tener especial **cuidado con los ciclistas** y los tranvías.

Precios

Precio de las entradas a los museos y lugares de interés recogidos en esta guía:

Económico menos de 6 €   **Moderado** 6–9 €   **Caro** más de 9 €

Los descuentos para niños y las edades hasta las que se aplican varían considerablemente.

Alojamiento

El área más atractiva para alojarse es el Anillo de Canales, cuyas antiguas casas con hastiales albergan docenas de hoteles. El centro medieval acoge tanto los establecimientos más majestuosos como los más sencillos, mientras que el lugar idóneo para los amantes del arte es el Barrio de los Museos.

Qué esperar
- La **mayoría de los hoteles a orillas de los canales** son pequeños y sólo ofrecen régimen de alojamiento y desayuno. Las zonas comunes suelen limitarse a una sala de desayuno y probablemente una barra o salón–bar y las escaleras son normalmente muy empinadas (y no disponen de ascensor). Los dormitorios suelen ser de múltiples formas y tamaños e incluso es normal que los más baratos carezcan de baño privado.
- Desayunos: **normalmente constan de un bufé de pan, fruta, carnes y quesos.** La práctica habitual en los hoteles económicos es incluir en las tarifas el 5% del impuesto local, mientras que en los de lujo suelen cobrarlo aparte.

Reservas
Lo más importante es reservar con antelación, sobre todo durante los fines de semana y en el periodo de abril a septiembre. Incluso en temporada baja (de noviembre a marzo, meses en los que las tarifas bajan hasta un 25%) suele haber un alto nivel de ocupación.

- Se puede reservar a diario, de 9.00 a 17.00, a través de la **Central de Reservas de Amsterdam** (tel: 00 31 205 512 525, si se llama desde fuera del país, o 0900 400 40 40, desde Holanda), o por internet en www.hotelres.nl
- Por un módico precio, las oficinas turísticas (➤ 37) también realizan **reservas en el acto.**

Hostales

- El mejor es **Stayokay Amsterdam Vondelpark** (Zandpad, 5; tel: 020 589 8996; www.stayokay.nl/vondelpark). Forma parte de la organización Hostelling International y dispone de bar, alquiler de bicicletas y habitaciones con baño, así como de camas en habitaciones comunes.
- En caso de que esté completo (que es bastante probable), el **Shelter Jordaan** es una alternativa (Bloemstraat, 179; tel: 020 624 4717; www.shelter.nl/welcome.html). Es un albergue juvenil católico en el que no se permite beber ni fumar y con un límite de edad de 40 años.
- Otra opción es el **Hans Brinker** (Kerkstraat, 136; tel: 020 622 0687) que, aunque bastante austero, tiene una excelente ubicación.

Apartamentos y casas privadas

- **Amsterdam House** (s'Gravelandseveer, 7; tel: 020 626 2577; www.amsterdamhouse.com) dispone de apartamentos y casas flotantes. La estancia mínima es de 3 noches incluyendo fin de semana.
- La web **www.like-a-local.com** ofrece la oportunidad de alojarse en apartamentos o casas flotantes de ciudadanos locales.

Hoteles recomendados

Precios del alojamiento

La diferencia de precios entre los hoteles de Amsterdam es muy variable. A continuación se ofrece el precio aproximado de una habitación doble:

Caro (más de 300 €)
Moderado (150–300 €)
Económico (menos de 150 €)

Caros

De l'Europe

Hotel de lujo histórico de finales del siglo XIX en el que reina la opulencia *fin de siècle*: candelabros y frescos en las zonas comunes, abundantes cubrecamas en las habitaciones y revestimientos de mármol en los baños. Su situación, a orillas del río Amstel y junto al mercado de las Flores, es prácticamente insuperable. Muchas de las habitaciones disponen de balcones privados con vistas al río y en verano abren una terraza junto a la orilla.

✚ 199 E4 ✉ Nieuwe Doelenstraat 2–8, 1012 CP ☎ 020 531 1777; fax: 020 531 1778; www.leurope.nl

The Dylan

Esta antigua casona es el hotel con encanto más lujoso de la ciudad, con sólo 41 habitaciones. La espectacular decoración, de influencia oriental, es obra de la diseñadora Anouska Hempel. Los colores de las habitaciones van del beis y el crema al morado, y los minibares contienen saludables botellas de oxígeno

✚ 198 C4 ✉ Keizersgracht 384, 1016 GB ☎ 020 530 2010; fax: 020 530 2030; www.dylanamsterdam.com

The Grand Amsterdam

Edificio barroco construido en el siglo XVII para el almirantazgo, que sirvió como sede del Ayuntamiento hasta 1988. Hoy en día es el hotel de lujo más sobrio y tranquilo de la ciudad, a pesar de estar situado justo al sur del Barrio Rojo. Las *suites* tienen vistas a dos preciosos patios y a los tranquilos canales.

Las comidas se sirven en el aireado café Roux (► 73).

✚ 199 E4 ✉ Oudezijds Voorburgwal 197, 1012 EX ☎ 020 555 3111; fax: 020 555 3222; www.thegrand.nl

Grand Hotel Amrâth

La histórica Scheepvaarthuis (► 69) ha sido restaurada visiblemente para convertirse en un hotel de lujo, en armonía con la Escuela de Arquitectura de Amsterdam y sus dimensiones. Habitaciones que rebasan la comodidad, dotadas de TV de pantalla panorámica, cortinas domóticas y minibar gratuito. Las habitaciones orientadas hacia Binnenkant son las más tranquilas y con mejores vistas. En el sótano, el hotel cuenta con una bodega de vinos y, como excepción en Amsterdam, una piscina.

✚ 200 4B ✉ Prins Hendrikkade 108, 1011 AK ☎ 020 552 0000; fax 020 552 0900; www.amrathamsterdam.com

The Lloyd

Un impresionante bloque de oficinas de 1921 en los antiguos muelles Orientales se ha convertido en un atractivo hotel de diseño. Tiene un brillante restaurante en la planta baja y habitaciones de diseño individualizado, con mobiliario innovador y acceso Wi-Fi en todas las habitaciones. Además de habitaciones con baño, ofrecen opciones más económicas con baño compartido. El único inconveniente es la ubicación, bastante alejada del centro, aunque los tranvías 10 y 26 (una nueva línea ideada para revitalizar los muelles) ofrecen una buena conexión.

✚ Fuera del plano 201 F4 ✉ Oostelijke Handelskade 34, 1019 BN ☎ 020 561 3636; www.lloydhotel.com

Pulitzer

Remodelación de lujo de 25 casas de los siglos XVII y XVIII, unidas mediante pasillos cubiertos a lo largo del gran patio ajardinado del hotel. Aunque es una cadena hotelera (parte del grupo Starwood), no lo parece. El arte de calidad y el mobiliario moderno imprimen rasgos contemporáneos a las habitaciones. Su café restaurante tiene un ambiente relajado y divertido.

✚ 198 C5 ✉ Prinsengracht 315–331, 1016 GZ ☎ 020 523 5235; fax: 020 627 6753; www.pulitzer.nl

Seven One Seven

El interiorista y diseñador de moda Kees van der Valk ha convertido este edificio de principios del siglo XIX en un discreto y lujoso Bed & Breakfast, con un ambiente de casa familiar noble. La mayoría de sus ocho habitaciones, dedicadas a pintores, autores y compositores, son enormes. Todo en este hotel es un tesoro oculto, desde las máscaras africanas al cristal de Murano. La tarifa incluye bebidas.

✚ 199 E2 ✉ Prinsengracht 717, 1017 JW ☎ 020 427 0717; fax 020 423 0717; www.717hotel.nl

Moderados

Ambassade

La elegancia de tiempos pasados caracteriza el ambiente de este hotel, que comprende 10 casas del siglo XVII junto al canal. El salón de desayunos se caracteriza por los candelabros y los relojes de péndulo, y los dormitorios respiran un distinguido aire gracias al mobiliario de estilo Luis XVI. Los más característicos, con sus techos abovedados y con vigas de madera, se sitúan debajo de las hastiales. El spa situado justo debajo en la misma calle también es del hotel.

✚ 199 D4 ✉ Herengracht 341, 1016 AZ ☎ 020 555 0222; fax: 020 555 0277; ambassade-hotel.nl

Bilderberg Jan Luyken

Este hotel de 62 habitaciones, con un diseño clásico y moderno a la vez, ocupa tres casas del siglo XIX situadas en una pequeña y tranquila calle del Barrio de los Museos, muy cerca del Van Gogh Museum. Su bar sirve vino y tentempiés, y tiene una zona al aire libre en un pequeño patio ajardinado.

➕ 198 B1 ✉ Jan Luikenstraat 58, 1071 CS ☎ 020 573 0730; fax: 020 676 3841; www.bilderberg.nl

Canal House

Este par de casas del siglo XVII situadas junto al canal han sido remodeladas para convertirse en un espléndido y cómodo hotel. Su piedra angular es una majestuosa sala de desayunos, con vistas a un bonito jardín. Los pasillos y dormitorios están decorados con pequeñas antigüedades, como sombreros, lámparas, espejos, relojes, etc. No permite el alojamiento de niños menores de 12 años.

➕ 197 D2 ✉ Keizersgracht 148, 1015 CX ☎ 020 622 5182; fax: 020 624 1317; www.canalhouse.nl

Estheréa

Cómodo hotel con precios razonables, en varias casas de ladrillo rojo del siglo XVII. En la planta baja tiene una sala de desayunos y un bar bastante oscuros, aunque acogedores. Las habitaciones de lujo justifican su coste extra: tienen vistas a los canales, normalmente a través de toda una hilera de ventanas.

➕ 199 D4 ✉ Singel 303–309, 1012 WJ ☎ 020 624 5146; fax: 020 623 9001; www.estherea.nl

Vondel

En una tranquila calle de principios del siglo XX, a escasos metros de la Leidseplein y de los grandes museos, cuatro casas dan vida al Vondel, al que se ha sometido a una remodelación minimalista. Todas las paredes de los dormitorios, colchas, cortinas, sofás y armarios son blancos o color crema. El bar y la entrada, con sus grandes y marcados sofás y tableros a rayas, no desentonan.

➕ 198 B2 ✉ Vondelstraat 26, 1054 GE ☎ 020 612 0120; fax: 020 685 4321; www.vondelhotels.com

Económicos

Brouwer

El edificio es una gran casa de un viejo capitán de barco, en cuya fachada se lee la fecha 1652. En el interior, la recepción, que también hace función de sala de desayunos, tiene antiguas baldosas de Delft y pinturas de escenas de la ciudad en las paredes. Los dormitorios, todos con vistas al canal Singel, son sencillos pero interesantes, con suelos de madera, vigas y grabados de un artista holandés. Una de las habitaciones, la Mondrian, está surcada por una canaleta de madera (fuera de uso).

➕ 197 E2 ✉ Singel 83, 1012 VE ☎ 020 624 6358; fax 020 520 6264; www.hotelbrouwer.nl.

De Filosoof

La entrada de esta casa del siglo XIX está cubierta por murales de Platón y Aristóteles y los manteles de la sala de desayunos incluyen fragmentos de famosas obras filosóficas. Los dormitorios están inspirados en estos pensadores y, en lugar de la habitual Biblia, en cada uno de ellos se encuentra una obra de Filosofía. El hotel, que cuenta con un agradable jardín y está al lado del Vondelpark, se separa de la Leidseplein por un paseo de 15 minutos, o un corto trayecto en tranvía.

➕ 202 C3 ✉ Anna van den Vondelstraat 6, 1054 GZ ☎ 020 683 3013; fax: 020 685 3750; www.hotelfilosoof.nl

Orlando

Esta majestuosa casa del siglo XVII con vistas a los canales dispone sólo de 5 habitaciones, todas decoradas con gusto, con suelos de roble, cortinas de seda, iluminación sofisticada y grandes pinturas modernas, disponibles a un precio fantástico. A la vuelta de la esquina se encuentra la Utrechtsestraat, una calle llena de restaurantes.

➕ 199 F2 ✉ Prinsengracht 1099, 1017 JH ☎ 020 638 69 15; fax 020 635 2123; www.hotelorlando.nl.

Rho

Este hotel de 165 habitaciones se sitúa en una tranquila calle lateral de la plaza Dam. Las habitaciones son sencillas pero la entrada, que en su día fue un teatro, es una enorme y abovedada maravilla *art nouveau*.

➕ 197 E1 ✉ Nes 5–23, 1012 KC ☎ 020 620 7371; fax: 020 620 7826; www.rhohotel.com

Seven Bridges

El Bed & Breakfast favorito de todos ocupa una antigua casa junto al canal más bonito de la ciudad. Sus 11 habitaciones están decoradas con mobiliario ecléctico, como aparadores de estilo Luis XVI y lámparas *art déco*. El desayuno se sirve en las habitaciones.

➕ 199 E3 ✉ Reguliersgracht 31, 1017 LK ☎ 020 623 1329; fax: 020 624 7652; www.sevenbridgeshotel.nl

't Hotel

Este Bed & Breakfast tiene una ubicación inmejorable: ocupa una casa del siglo XVII en uno de los canales laterales más idílicos de la ciudad. Las habitaciones son sencillas pero bonitas, y algunas, más caras, tienen vistas a los canales. Las escaleras son empinadas y no hay ascensor.

➕ 197 D1 ✉ Leliegracht 18, 1015 DE ☎ 020 422 27 41; fax 020 626 7873; www.thotel.nl.

Comida y bebida

Comer en restaurantes es una actividad que en los últimos años está viviendo un auge en Amsterdam. Antes había que elegir entre caros restaurantes franceses o la elección más económica de los establecimientos étnicos o los cafés de comida holandesa. Aunque estas opciones aún se mantienen, hoy en día existe una oferta mucho más diversa a cualquier nivel de precio. La cocina de fusión, que combina tradiciones culinarias de distintas naciones, causa furor.

Cocina étnica

La población multicultural de Amsterdam se plasma en sus restaurantes: se dice que se pueden encontrar unos 40 tipos de cocina distintos.

■ Los restaurantes étnicos más comunes son **los indonesios y los chinos,** aunque también se pueden encontrar cafés típicos de Surinam (especialmente en el distrito de De Pijp), bares de tapas españoles, asadores argentinos y un número cada vez mayor de restaurantes tailandeses y japoneses.

■ Los **holandeses consideran la comida indonesia,** que la Compañía Holandesa de las Indias Orientales introdujo en el país en el siglo XVII, prácticamente como una parte de su propia cultura culinaria. La comida típica en los restaurantes indonesios son los *rijsttafels,* literalmente *mesas de arroz*. Con este plato los comensales comparten una mesa con un gran cuenco de arroz y de 15 a 30 platos más. Algunas salsas, como el *sambal*, son verdaderamente picantes.

La cocina holandesa

Aunque hay una tendencia general hacia una nueva cocina holandesa, con platos y salsas más ligeros, sigue habiendo un número de antiguos restaurantes que se especializan en cocina tradicional holandesa.

Se puede empezar con una *erwtensoep*, una sopa de guisantes caliente con trozos de jamón y verduras, bastante densa.

■ El **plato clásico principal** es un guiso llamado *hutspot*, mientras que la carne se sirve normalmente con *stamppot,* puré de patatas con trocitos de verduras y más carne en el interior.

Aperitivos

■ Podría decirse que la comida holandesa es mejor para tapear. Los vendedores ambulantes ofrecen arenques crudos (➤ 32–33) y patatas fritas, que los holandeses normalmente comen con mayonesa. **Vleminckx,** situado en Voetboogstraat, 33, tiene las mejores patatas fritas de Amsterdam (crujientes por fuera y esponjosas por dentro). Otros vendedores tienen gofres y creps, y ciertos cafés, como el **Pancake Bakery** (➤ 104) se especializan en creps y poco más.

■ Las **máquinas expendedoras de Febo's,** distribuidas por toda la ciudad, ofrecen croquetas de queso y carne.

■ **Para almorzar,** la mayoría de los habitantes de Amsterdam suele tomar simplemente un *broodje* (sándwich) en un café o en alguno de los muchos establecimientos de sándwiches para llevar. Tradicionalmente en los cafés también se sirven *bitterballen* (una especie de croquetas redondas), *uitsmijter* (huevos fritos con jamón, queso y pan) y normalmente también hay *appelgebak* casero (tarta de manzana), que se sirve con una cucharada de *slagroom* (nata montada).

■ La tarta de **Winkel** (Noordermarkt, 43), con un fuerte sabor a canela y base de hojaldre, es uno de los postres más recomendables.

Qué beber

■ Dejando a un lado la cerveza (➤ 34), **la bebida favorita de los holandeses** es la *jenever* (ginebra holandesa), extraída de la melaza y aromatizada con bayas de enebro. Tanto en su versión *oud* (vieja: añeja y de color amarillento) como *jong* (joven: seca y transparente), la *jenever* tiene un sabor fuerte, aunque no necesariamente mucha graduación. Se bebe sola, aunque también se puede tomar con grosella o limón, y lo normal es servirla en copas en forma de tulipán llenas hasta el borde. Los bebedores habituales piden un *kopstoot* (golpe en la cabeza), es decir, una cerveza con un chupito de *jenever.*

■ **Los bares de degustación** (➤ 27) también se especializan en licores de frutas, con nombres tan deliciosos como *ombligo al descubierto,* que es tradición beber cuando una embarazada enseña la tripa a la familia.

■ Los holandeses sienten debilidad por el café. **Se suele tomar solo,** siempre con alguna galleta y a veces con leche condensada. Quienes quieran un café con leche, pueden pedir un *koffie verkeerd* (literalmente *café erróneo*).

Horarios, vestimenta, propinas

■ La mayoría de los restaurantes sólo abre por las noches y suelen estar llenos entre las 19.00 y las 20.00. El letrero *keukentot:...* muestra la hora a la que cierra la cocina. En pocos sitios suelen servir cenas después de las 22.00.

■ **Los cafés normalmente abren** un rato por las mañanas (aunque los orientados a las bebidas habitualmente abren por la tarde), y suelen cerrar a la 1.00 de domingo a jueves y a las 2.00 los viernes y sábados, aunque dejan de servir comidas entre las 22.00–23.00.

■ Sólo en los restaurantes de lujo **se exige un protocolo de vestimenta.**

■ En la cuenta se incluye automáticamente un **cargo del 15% por el servicio,** aunque la práctica habitual es dejar 1 o 2 € o redondear al alza hasta los siguientes 5 o 10 € en cantidades más altas.

Compras

Aunque Amsterdam no cuenta con una oferta de tiendas tan amplia como la de ciudades como Londres, París o Nueva York, las supera en pequeñas tiendas especializadas, algunas dedicadas a un solo artículo como gafas antiguas, cepillos de dientes o aceite de oliva. Además, dispone de muchos y variados mercados y, sorprendentemente, carece de grandes centros comerciales.

Las mejores zonas y calles comerciales

- En el centro, la mayor concentración de las principales tiendas minoristas y grandes almacenes se encuentra en la calle peatonal **Kalverstraat** (➤ 75).
- **9 Straatjes** (➤ 105), las 9 Calles del anillo oeste de canales, están llenas de tiendas diminutas y normalmente poco convencionales, al igual que las aledañas calles marginales del Jordaan.
- En el **Spiegelkwartier** (➤ 158–159) se concentran más de 70 galerías de arte y tiendas de antigüedades.
- La **PC Hooftstraat** (➤ 133), situada en el Barrio de los Museos, acumula una completa lista de celebridades en el mundo de la moda internacional.

Los mejores mercados

- **Noordermarkt** (➤ 106): un día hay mercado al aire libre y otro, mercado de ganado.
- **Waterlooplein** (➤ 77): mercado al aire libre.
- **Albert Cuypmarkt** (➤ 159): mercado callejero general.
- **Bloemenmarket** (➤ 159): mercado de las Flores.

Qué comprar

- Arte y antigüedades: en el **Spiegelkwartier** (➤ 158–159), en el mercado cubierto **De Looier** (➤ 107) y a lo largo de **Prinsengracht** (➤ 106) se pueden encontrar desde azulejos de cerámica de Delft hasta grabados de la ciudad, juguetes, relojes o instrumentos médicos.
- Bulbos: en el **Bloemenmarkt** (➤ 159) se pueden comprar tulipanes, narcisos y jacintos.
- Bombones: los mejores son los de lugares como **Pompadour** (➤ 105) y **Holtkamp** (➤ 159), donde los hacen artesanalmente.
- Quesos: pueden ser *jounge* (fresco) y *oude* (curado) y bien elaborados en una fábrica o en granja, éstos últimos sin pasteurizar y con sello *boerenkaas.*
- En las tiendas especializadas de quesos como **De Kaaskamer** (➤ 105), se ofrecen degustaciones y envasan al vacío las compras.
- Cerámica de Delft: la mayoría de la porcelana azul y blanca es una imitación fabricada en serie, sin embargo, se puede encontrar el artículo original, únicamente fabricado por De Porceleyne Fles, en tiendas como **Rinascimento Galleria d'Arte** (➤ 106) y **Aronson Antiquairs** (➤ 159).
- Diamantes: desde hace siglos, la talla de diamantes ha sido un gran negocio en la ciudad. Fábricas como **Coster Diamonds** (➤ 128–129) ofrecen visitas gratuitas para atraer a los clientes a sus puntos de venta.

'Smart shops'

- **La política liberal de Amsterdam** con respecto a las drogas queda patente no sólo en los *coffee shops* (➤ 29), sino también en las numerosas *smart shops* que venden las llamadas drogas inteligentes y que se han propagado en los últimos años. En todas ellas se venden con total naturalidad y de forma legal setas alucinógenas o *mágicas*.

■ En **los locales más eficientes** se facilita bastante información sobre los distintos efectos y la potencia de diferentes tipos de setas. También se exponen *kits* para comprobar las impurezas de las pastillas de éxtasis y la cocaína, así como productos menos polémicos como bebidas energéticas y hierbas de propiedades afrodisíacas.

Horarios

■ Aunque se está produciendo una **liberalización gradual de horarios,** las horas de apertura son aún restringidas en comparación con muchas grandes ciudades. Normalmente, las tiendas de las principales calles comerciales de la ciudad abren los lunes 11.00–18.00, martes, miércoles y viernes 9.00–18.00, jueves 9.00–21.00, sábados 9.00–17.00 y domingos 12.00–17.00. Sin embargo, las tiendas especializadas no suelen abrir los domingos y algunas no abren los lunes hasta las 14.00 o permanecen cerradas todo el día.

Impuestos

■ **Los precios que se indican incluyen los impuestos.** En las tiendas en las que se indique *tax free shooping,* los ciudadanos extracomunitarios tienen derecho a la devolución del IVA (17,5% para la mayoría de los artículos) menos la comisión, siempre que la compra en una misma tienda y en un mismo día sea superior a 50 €.

Compras en el aeropuerto

■ En las **tiendas situadas tras los controles de pasaportes** en el aeropuerto de Schiphol se venden bombones, queso Gouda, Edam, anguilas y arenques ahumados, así como bulbos, zuecos, *jenever* (ginebra holandesa) y diamantes.

Ocio

Para el ocio nocturno es difícil encontrar algún plan que supere los placeres de un simple paseo por los canales y una o dos cervezas en algún café.

■ Las zonas con más ambiente nocturno, a las que dependiendo de los gustos se debe acudir o evitar, son el **Barrio Rojo** (► 63–65), **Spuikwartier** (► 76), **Leidseplein** (► 107) y **Rembrandtplein** (► 160). Los cafés permanecen abiertos hasta tarde: los viernes o sábados la mayoría aceptan pedidos hasta la 1.00 o las 2.00 aproximadamente.

Fuentes de información

■ Se puede **consultar** la revista mensual de VVV, *Day-by-Day Amsterdam*, así como la *Amsterdam Weekly* (www.amsterdamweekly.nl) o la mensual *Uitkrant* (sólo en holandés).

Reservas de entradas

■ El mejor lugar para reservar entradas es la **AUB Ticketshop,** situada en la esquina de Leidseplein con Marnixstraat (abierta lunes–sábado 10.00–17.30, domingos 12.00–19.30; tel: 020 621 1311). Disponen de folletos de cualquier evento cultural existente, el personal está bien informado y es muy eficaz; además, se puede reservar cualquier espectáculo a cambio de una pequeña comisión.

■ **AUB también realiza reservas telefónicas,** todos los días 9.00–18.00 (tel: 00 31 20 621 1288, desde el extranjero o 0900 0191 –tarifa premium– desde Holanda; www.aub.nl).

Discotecas

■ La mayoría de las discotecas abren sólo de jueves a domingo y **no empiezan a animarse hasta la medianoche,** más o menos.

■ **La entrada no suele ser cara** (5–10 €), aunque podría depender de la impresión que el vestuario cause a los porteros.

■ En algunas discotecas se permite fumar marihuana, aunque **la venta de drogas está estrictamente prohibida.**

Ambiente gay

Amsterdam cuenta con uno de los ambientes gay más animados de Europa.

■ En **Reguliersdwarsstraat** (▶ 160), **Warmoesstraat** (▶ 78) y el cruce de Kerkstraat con Leidsestraat hay muchos locales de ambiente.

■ En muchos bares y discotecas disponen de **revistas gratuitas** con información sobre lugares de ambiente gay.

■ La web www.amsterdam4gays.nl es un **punto de partida útil** para los visitantes homosexuales.

Cine

■ En Amsterdam se pueden encontrar algunos cines bastante singulares, como el **Tuschinski Theatre** (▶ 160).

■ Aunque la gran mayoría de películas se proyectan en **versión original con subtítulos en holandés,** conviene comprobarlo antes.

Música en directo

■ Los bastiones culturales son el **Muziektheatre** (▶ 78), el **Concertgebouw** (▶ 130) y el nuevo **Muziekgebouw aan't IJ** (▶ 160).

■ Muchas iglesias ofrecen regularmente conciertos de música clásica, música de cámara barroca y conciertos de órgano. La **Engelskerk,** situada en el Begijnhof (▶ 55), suele tener el programa más completo. Otros lugares son: **Oude Kerk** (▶ 64), **Nieuwe Kerk** (▶ 61–62), **Westerkerk** (▶ 92–93), con conciertos de carillón los martes 12.00–13.00, **Amstelkerk** (▶ 182) ó **Waalse Kerk** (Walenpleintje, 157). Las revistas culturales contienen más datos sobre estos conciertos.

■ En el **Amsterdam ArenA,** el futurista estadio de fútbol del Ajax situado al sureste de la ciudad, se celebran conciertos de rock multitudinarios.

■ Las salas **Melkweg** y **Paradiso** (▶ 108) son más íntimas y sirven de escenario a bandas revelación y a megaestrellas como The Rolling Stones, que normalmente no suelen elegir lugares tan pequeños.

Ocio durante el verano

■ La mayoría de actividades culturales **son en verano.** Entre ellas está el **Holland Festival** (www.hollandfestival.nl), un programa completo de ópera, danza, teatro y música internacionales que se celebra en junio, el **Grachtenfestival** (www.grachtenfestival.nl) que se celebra en agosto y culmina con el concierto sobre un escenario flotante.

■ A principios de agosto se celebra el **Amsterdam Gay Pride Festival** (Festival del Orgullo Gay; www.amsterdamgaypride.nl), que incluye un desfile masivo de barcas por los canales.

■ Docenas de compañías promocionan sus espectáculos del año siguiente a **finales de agosto** en el Uitmarkt (www.uitmarkt.nl), donde se presentan fragmentos de estos espectáculos de forma gratuita.

■ También destaca el **teatro al aire libre que se celebra en el Vondelpark.**

Amsterdam medieval

Cómo orientarse

En el antiguo corazón de Amsterdam tienen cabida dos ciudades distintas. En la parte más visible se engloba toda la parafernalia turística que puede encontrarse en cualquiera de las principales ciudades europeas, y en este caso concreto, aumentada por la curiosidad que despierta el Barrio Rojo. Aparte de su imagen más conocida, estas calles también ofrecen sorpresas: lugares donde reina la calma y la soledad, además de establecimientos excelentes donde comer, beber y comprar que únicamente parecen conocer los lugareños.

Dam, la plaza principal de la ciudad, puede que no sea la más bonita de Europa, sin embargo, es un buen punto de partida para recorrer el resto de la zona, ya que desde aquí se puede acceder andando a cualquier punto del Amsterdam medieval en pocos minutos; las principales calles comerciales o el remodelado Amsterdams Historisch Museum, son una buena introducción a la historia de esta fascinante ciudad. Muy cerca, el Begijnhof, un claustro construido para la ayuda y protección de las mujeres, sigue manteniendo sus principios y su recogimiento. En medio del Barrio Rojo (Rosse Buurt) existen edificios sorprendentes de gran riqueza histórica. En la Amsterdam medieval, muchas cosas son posibles: prácticamente todo lo que se busca se puede encontrar aquí.

Arriba: el Begijnhof

Página anterior: escena de la plaza Dam pintada por Lingelbach

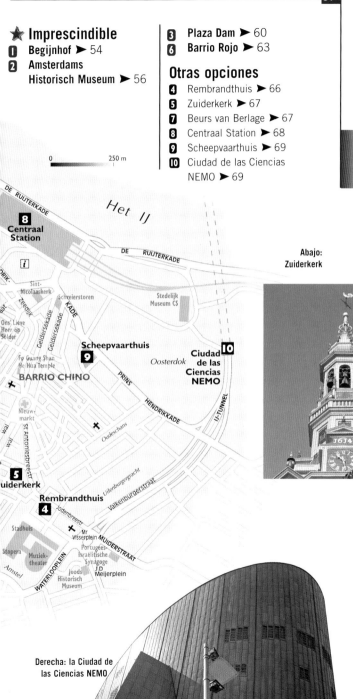

Abajo: Zuiderkerk

Derecha: la Ciudad de las Ciencias NEMO

Cualquier visita a Amsterdam debería comenzar por el origen de la ciudad. El corazón histórico aún late bajo las enigmáticas capas de elegancia y *glamour*.

Amsterdam medieval en un día

9.00

A esta hora abre el **❶ Begijnhof** (derecha, ► 54–55), el tranquilo corazón de la ciudad: es recomendable llegar pronto para evitar la multitud. Después se puede parar a tomar algo en el café Luxembourg (► 70), situado en Spui, la plaza que hay justo al sur.

11.30

Caminando un poco hacia el norte se llega al **❷ Amsterdams Historisch Museum** (► 56–59), el lugar ideal para indagar en las raíces de la ciudad medieval.

13.00

Si se sigue paseando hacia el este se puede almorzar mientras se observa a la gente en In de Waag (► 72), o combinarlo con unas compras en La Place (► 72), la cafetería de Vroom ubicada en los grandes almacenes Dreesman.

15.00

La mayoría de las calles conducen a la **❸ plaza Dam** (izquierda, ► 60–61), donde se puede pasear alrededor del palacio Real (Koninklijk Paleis) o echar un vistazo a algunas de las tiendas más innovadoras y originales de la ciudad.

16.00

Tras un tranquilo recorrido por el distrito universitario, pasando por la sede de la Compañía Holandesa de las Indias Orientales, se llega a Waterlooplein, en cuyo mercadillo se puede buscar alguna ganga de última hora, comprobar el inquietante nivel de las aguas en el ayuntamiento, visitar la ❹ **Rembrandthuis,** la casa del artista, (➤ 66) o simplemente hacer un descanso de media tarde desde un ángulo distinto en el inclinado café De Sluyswacht (➤ 72).

17.30

En el camino hacia la Centraal Station se encuentran algunas de las zonas más antiguas de la ciudad, como Oudezijds Voorburgwal. A esta hora el ❻ **Barrio Rojo** (derecha, ➤ 63–65) empieza a ver cómo el comercio diurno deja paso a las actividades nocturnas.

19.00

Se puede probar el sabor de la *jenever* (ginebra holandesa) en alguno de los bares de degustación, como De Drie Fleschjes (➤ 71) o Wynand Fockink (➤ 72).

20.00

Para cenar a un precio muy económico se puede ir a algún restaurante tailandés o chino de Zeedijk (➤ 64) o recordar que Holanda es una de las mayores naciones pesqueras probando el magnífico marisco de Lucius (➤ 74). En el Supper Club (➤ 74) se vive cada comida como si se tratara de un auténtico teatro.

22.00

Volviendo al lugar en el que comenzó el día, la zona del Begijnhof, la noche comienza en el café Gollem (➤ 70), aunque algunos de sus clientes parezcan ir camino de probar todas las cervezas que haya en el bar. De forma alternativa, cruzando hacia Spui se puede contribuir a que el legendario Hoppe (➤ 71) mantenga su reputación de tirar más cervezas que cualquier otro café holandés.

Begijnhof

En un cartel clavado en el césped del Begijnhof se lee el lema: "Que la paz reine en el mundo". Sorprendentemente, la mayor parte del tiempo la paz reina en este amplio y agradable jardín situado prácticamente en el centro de una de las ciudades más dinámicas de Europa, a pesar de que sólo unos cuantos minutos lo separan de los placeres mundanos.

En 1180 Lambert le Bègue fundó la orden de las *begijntjes,* una congregación de mujeres adineradas católicas que habían perdido a sus maridos (o que nunca los tuvieron). El Begijnhof supuso una alternativa más liberal a entrar en un convento: vivían en cómodas casas y se dedicaban a atender a los pobres y los ancianos, pero no estaban obligadas a cumplir los estrictos votos religiosos.

Abajo: Houten Huys, el edificio más antiguo del Begijnhof

El Begijnhof se fundó a mediados del siglo XIV, aunque las casas de madera originales no se mantienen. En el número 34 se alza la **Houten Huys** (Casa de Madera) que, construida aproximadamente en 1475, es la casa más antigua que se conserva en la ciudad. Del resto, la gran mayoría fueron construidas en los siglos XVI, XVII o XVIII, aunque algunas tienen menos de 100 años. La última mujer de la congregación murió en 1971, aunque siguen viviendo en esta zona sólo mujeres solteras. Estas discretas casas, bajo sus elaborados hastiales, se disponen en torno a unos cuidados jardines.

Cómo comportarse

Aunque las residentes del Begijnhof aceptan el turismo, exigen que los visitantes sigan algunas normas de sentido común para no invadir su intimidad. Se permite tomar fotografías, pero no de los interiores de las casas. Además, se debe hablar en voz baja.

un refugio
menino: no
e permite la
esidencia a
ombres ni a
ujeres casadas

La **Engelskerk** ocupa la mayor parte de la mitad sur del Begijnhof. Construida a finales del siglo XV, fue durante 100 años el lugar de oración de las hermanas. Tras la Alteración (cambio del catolicismo al protestantismo) (➤ 58) se cerró y se dejó inutilizada hasta 1607, año en el que se cedió a los presbiterianos de habla inglesa. Una parte de esta congregación se convertiría en los Padres Peregrinos (primeros colonizadores de Nueva Inglaterra). Destaca su púlpito, decorado por un joven Piet Mondrian (1872–1944).

La **Begijnhofkapel,** una iglesia católica de 1671, se sitúa a tan sólo 5 pasos de la Engelskerk. Tras la Alteración, los católicos de Amsterdam oficiaban sus plegarias de forma clandestina y las autoridades lo toleraban siempre que la iglesia no fuese visible desde la calle. Las puertas esconden un opulento interior: destaca la vidriera dedicada al poeta Joost van der Vondel, a la derecha del altar.

Begijnhof
➕ 199 D4
www.begijnhofamsterdam.nl
✉ Begijnhof
🕐 Horario de visitas: 9.00–17.00, no se admiten grupos.
Begijnhofkapel: sá–do 9.00–18.00, lu 13.00–18.30, ma–vi 9.00–18:30
🍴 Café del número 35, junto a la Houten Huys (€€)
🚊 1, 2, 5 💷 Gratuito

BEGIJNHOF: INFORMACIÓN ESPECÍFICA

Sugerencias Es difícil encontrar ambas entradas. La entrada principal es por Gedempte Begijnen Sloot, a la que se accede desde Kalverstraat por un callejón llamado Begijnensteeg. La segunda entrada es por la plaza Spui, pasando un arco que parece un portal normal.
A mitad del día miles de visitantes acuden al Begijnhof, por lo que conviene ir a primera hora.

Curiosidades En la esquina de Nieuwezijds Voorburgwal, 371, hay una librería y tienda de regalos del Begijnhof bastante interesante; abre de martes a sábado 10.00–16.00.

Amsterdams Historisch Museum

Amsterdam es una ciudad extraordinaria y el Museo de Historia de Amsterdam explica de forma magistral su extraña y emocionante historia. En este lugar, tan variado como la ciudad en sí, se ponen al descubierto las intrigas humanas y económicas que contribuyeron al nacimiento de Amsterdam, por lo que una visita en los primeros días de estancia en la ciudad es una buena idea para disfrutar aún más del viaje.

No obstante, primero hay que encontrarlo. El museo ocupa un gran espacio de la zona medieval, pero queda oculto por una multitud de calles. La entrada más fácil de las tres es la de Nieuwezijds Voorburgwal, 357, que a su vez es el lugar correcto para empezar el recorrido por un laberinto de cámaras.

La difícil ubicación y la extraña forma del museo se deben a los orígenes y al uso anterior del edificio. Originariamente se estableció como convento en 1414, aunque después de la Alteración se convirtió en el orfanato de la ciudad. Las zonas de niños y niñas quedaron separadas por una profunda franja, que aún permanece señalada por la línea del pasillo que actualmente recorre el museo.

Arriba: escena de un mercado del siglo XVII

Cartel de una farmacia del siglo XIX

Una de las
entradas
del museo,
bastante
difíciles de
encontrar

Derecha: arte y
comercio se
dan la mano en
el Museo de
Historia de
Amsterdam

Una ciudad joven

Las distintas salas ofrecen un seguimiento cronológico estricto
del crecimiento de la ciudad, desde los primeros asentamientos
sobre pequeños montículos de arcilla sólida. De forma gradual,
estos montículos se fueron uniendo y Amsterdam ganó la
superficie necesaria para que sus habitantes superasen el estadio
de vida de subsistencia.

En 1270 se construyó el primer dique en el Amstel. Su efecto
inmediato fue un obstáculo para el comercio, ya que la barrera
suponía que los barcos de mercancías tenían que descargar, lo que
creó empleo en Amsterdam.

Los siguientes siglos estuvieron marcados por el pragmatismo
y la innovación. En la **sala 4** se exhibe el plano más antiguo que
se conoce de la ciudad: una vista aérea de 1538 de Cornelius
Anthonisz. Entre las pinturas hay una obra de 1593 en la que se
muestra una rifa para recoger fondos para un manicomio.

Una ciudad fuerte

Amsterdam tuvo un papel protagonista en el rápido crecimiento económico de los siglos XIV y XV, ya que la mejora de la tecnología marítima atrajo más comercio. En la **sala 5** se muestra cómo comenzaron las relaciones con Asia en 1595 de la mano de varias compañías competidoras, que en 1602 se unieron para formar una fuerza más potente: la Compañía Holandesa de las Indias Orientales (VOC, ➤ 16–17). A lo largo de los dos siglos siguientes, casi un millón de personas zarparon desde Holanda y según algunos cálculos, sólo una de cada tres regresó. Las travesías orientales fueron mucho más efectivas que las occidentales: en el continente de América del Norte se fundó Nieuw Amsterdam, que posteriormente sería perdida y, para intentar salvar el prestigio de Holanda, se cambió a los ingleses lo que hoy en día es Nueva York por Surinam, una pequeña y pantanosa franja de tierra en América del Sur.

Amsterdam se las ingenió para poner a su favor la agitación religiosa que azotó Europa en el siglo XVI. Se dio una (cautelosa) bienvenida a los judíos, famosos por su cualificación, y a los protestantes expulsados de otros países europeos. La ciudad no fue inmune a los conflictos y finalmente, en la segunda mitad del siglo XVI, se produjo la versión holandesa de la Reforma, conocida como la Alteración. En la **sala 10** se ofrece una perspectiva de las luchas religiosas, además de una réplica del carillón de la Munt Tower.

Arriba: el museo muestra cómo los holandeses dominaron las olas en el siglo XVII

Abajo: la Amsterdam actual debe su aspecto y su diseño al comercio marítimo

Una ciudad moderna

La gloria artística y mercantil de Amsterdam se eclipsó en el siglo XIX, sin embargo, la ciudad siguió encontrando soluciones innovadoras a sus problemas específicos. En la **sala 16** se describe la grúa de J. C. Sinck utilizada para rescatar a los caballos que caían en los canales.

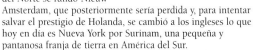

La sección dedicada al siglo XX es particularmente interesante, con una especial atención a la inmigración, el bienestar social y, por supuesto, la II Guerra Mundial, durante la cual, en el conocido como Invierno del Hambre de 1944–1945, murieron más de 2.000 ciudadanos de Amsterdam.

Con la depresión de los puertos durante la década de 1970 y principios de la de 1980, la ciudad sufrió un declive por el cual 40.000 personas abandonaron el país cada año. La agitación social desde la década de 1960 se refleja con humor en un diagrama del aumento de *coffee shops* entre 1980 y 1999, con la hoja de marihuana como símbolo.

El museo llega hasta la comunidad contemporánea actual. Como testimonio de su papel como centro de transporte del siglo XXI, se exhibe incluso una pantalla con las llegadas de vuelos en tiempo real del aeropuerto de Schiphol.

Un llamativo escudo de armas del siglo XVIII típico de mercaderes que ganaron sus fortunas gracias al mar

UN DESCANSO

El café del museo toma su nombre de las figuras de madera de David y Goliat realizadas a mediados del siglo XVII por Albert Vinckenbrinck para el Oude Doolhof. Cerca de aquí hay bastantes opciones, como el elegante **Esprit Caffe** (► 71).

Amsterdams Historisch Museum
🕂 199 D4
✉ Nieuwezijds Voorburgwal 357, Kalverstraat 92 and Sint Luciensteeg 27
☎ 020 523 1822; www.ahm.nl
🕐 Lu–ma 10.00–17.00, sá, do, festivos 11.00–17.00. Cerrado 1 ene, 30 abr, 25 dic
🍽 Café restaurante David and Goliath, planta baja (€€)
🚊 1, 2, 4, 5, 9, 11, 14, 16, 24, 25
🎫 Moderado, gratuito con las tarjetas Museumjaarkaart y I amsterdam Card (► 39)

AMSTERDAMS HISTORISCH MUSEUM: INFORMACIÓN ESPECÍFICA

Sugerencias En la entrada **puede conseguirse un plano gratuito** ya que, aunque la señalización es adecuada, es fácil perderse sin él.
• En la tienda del museo tienen una gran gama de **regalos,** por lo que es un buen lugar para comprar un recuerdo.

Plaza Dam

Casi todos los visitantes de Amsterdam pasan por Dam alguna vez, aunque la historia de esta céntrica plaza es poco conocida. En este lugar se construyó el primer dique sobre el río Amstel en el siglo XIII (desde entonces, el río se ha desviado hacia el este). La plaza es el punto central de la ciudad y del país, y en ella se ubican tanto el palacio Real como el Nationaal Monument. En el pasado fue escenario de disturbios y manifestaciones, pero hoy en día es un lugar importante en la vida social de la ciudad, además de punto de encuentro tanto para los habitantes de Amsterdam como para los turistas.

Koninklijk Paleis

La monarquía holandesa es distinta de la mayoría de las familias reales, ya que se estableció mediante común acuerdo hace menos de dos siglos. También el palacio Real es algo distinto de los habituales, y dada su ubicación y su prominente situación en la plaza principal de Amsterdam, se podría tomar por un Ayuntamiento, que, de hecho, fue su propósito original. Los tranvías pasan a 2 m de su pared sur y desde su puerta, La reina goza de una vista privilegiada de los entretenimientos de la vida de Amsterdam, como la gente alrededor del Nationaal Monument fumando marihuana.

La estatua de la paz, sobre el palacio, vigila la plaza Dam

El palacio se construyó a mediados del siglo XVII, cuando Amsterdam era la ciudad comercial más importante del mundo. En su época, el poeta Constantijn Huygens (1596–1687) lo denominó la octava maravilla del mundo. Cuando Napoleón se apoderó de Holanda, se instaló inicialmente en Utrecht, aunque poco después se trasladó a Amsterdam y decidió que el único edificio lo suficientemente grandioso para acogerle era el Ayuntamiento. En lo más alto del frontón se descubre una alegoría de la paz y la guerra en unas esculturas con un garrote y una rama de olivo, junto a un barco dorado que sirve de veleta sobre la cúpula.

El controvertido Nationaal Monument contribuye a la mezcla de estilos reinante en la plaza Dam

Merece la pena caminar por los alrededores del palacio para evaluar su verdadera escala y ver la escultura de Atlas sosteniendo un gigantesco globo terráqueo de bronce en la parte trasera. Incluso la serie de cuatro faroles situados en la fachada de la plaza son decorativos, protegidos por leones y rematados con coronas.

Nationaal Monument

El Monumento Nacional simboliza el sufrimiento durante la ocupación nazi en la II Guerra Mundial, un período traumático para la ciudad y para el país en general. Este obelisco blanco fue diseñado por John Rädecker y se presentó rodeado de críticas el 4 de mayo de 1956, 16 años después de la invasión alemana. Los críticos argumentan que el diseño parece una simple versión gigante de las balizas de tráfico que hay por todos sitios en Amsterdam. Sin embargo, si se observa de cerca, se pueden ver las representaciones de la maternidad y la represión, mientras una bandada de palomas revolotea a espaldas del monumento. Las urnas colocadas a su alrededor contienen tierra de todas las provincias neerlandesas y de la que fue su principal colonia, Indonesia.

Nieuwe Kerk

La iglesia Nueva es el lugar designado para la investidura de los monarcas holandeses y en 2002 acogió la boda entre el príncipe de Orange y la princesa Máxima. A pesar de su nombre, la iglesia es muy antigua. El mejor momento para visitarla es en una mañana soleada, cuando las figuras doradas del reloj solar, situado sobre la profunda ventana del lado sur, brillan como una cadena. Hasta finales del siglo XIX, todos los relojes de la ciudad estaban sincronizados con este reloj solar. La Nieuwe Kerk original se fundó en 1408, pero sus dos primeras versiones quedaron destruidas a causa de un incendio y su forma actual data de principios del siglo XVI. En 1578 esta iglesia fue absorbida por la Iglesia Reformada Holandesa, que la despojó de sus estatuas, altares y murales.

La elaborada tumba de Michiel de Ruyter, un almirante del siglo XVII

En 1645, mientras los bomberos fundían plomo para reparar el tejado, se declaró otro incendio que lo destruyó todo excepto los muros y los pilares. Así, se pudo reconstruir el interior con todo lo mejor que la Edad de Oro pudo ofrecer.

A la derecha de la puerta, conforme se entra, hay un monumento en memoria de Joost van den Vondel (1587–1679), el poeta nacional y contemporáneo de Rembrandt cuyos restos yacen en una urna de esta iglesia. Aquí están enterrados muchos héroes navales, que en los siglos XVIII y XIX tenían una consideración muy similar a la de la nobleza; entre ellos destaca Michiel de Ruyter (1606–1676), un almirante de la flota holandesa que luchó en la segunda y tercera guerras anglo-holandesas. Murió en esta última contienda y en su tumba se representa la batalla en la que perdió la vida.

Esta iglesia es también uno de los centros de exposición más visitados del país y en ella se exhiben regularmente arte y tesoros religiosos internacionales. También dispone de tienda (a la que se puede acceder sin pagar la entrada), donde tienen sobre todo artículos y libros relacionados con las exposiciones.

UN DESCANSO

Si se mira hacia el norte por Nieuwendijk desde la plaza Dam, en la distancia se extiende una sucesión de locales de comida rápida. En la misma plaza y como prolongación de la misma Nieuwe Kerk, está el **Nieuwe Kafe**, un lugar ideal para relajarse y observar a la gente que pasa. El bar de degustación **Wynand Fockink** (► 72), en Pijlsteeg, 31, un callejón detrás del Krasnapolsky Hotel, ofrece un ambiente diferente.

Plaza Dam
➕ 199 E5

Palacio Real
➕ 199 D5
☎ 020 620 4060; www.koninklijkhuis.nl
🚋 Cualquier tranvía que salga de la Centraal Station y regrese a ella

Nieuwe Kerk
➕ 199 D5
☎ 020 638 6909; www.nieuwekerk.nl
🕐 10.00–16.00, ju hasta 22.00, (exposiciones). Cerrado 1 ene, 25 dic

💶 Caro, gratuito con la I amsterdam Card

PALACIO REAL: INFORMACIÓN ESPECÍFICA

Sugerencias Es recomendable planificar la visita al palacio Real porque no siempre se encuentra abierto. Para no llevarse sorpresas es mejor llamar o consultar en su página web la fecha específica de la visita. Se aconseja no confiar en los horarios generales que se especifican, ya que no siempre se respetan escrupulosamente.

Barrio Rojo

El *Rosse Buurt* de Amsterdam es sorprendente. La discutida prostitución legal y expuesta en escaparates o la naturalidad con que los *coffee shops* ofrecen sus productos pueden resultar chocantes al visitante no avisado. Es el barrio donde los límites se desdibujan, y aunque todas las ciudades tienen algún lugar parecido, el de Amsterdam es único en el mundo.

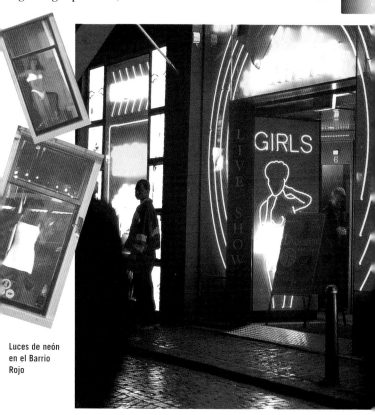

Luces de neón en el Barrio Rojo

Esta zona intriga a muchos visitantes ya que, como uno de los aspectos más curiosos de Amsterdam, ofrece una vívida estampa de algo que en otras ciudades se encuentra oculto. Algunos quizá se sientan incómodos al aventurarse en el compacto triángulo comprendido entre Warmoesstraat, Zeedijk y las calles que se extienden hacia el este desde la plaza Dam. Aun así, evitar esta zona sería perderse una dimensión importante de la ciudad.

El Barrio Rojo no suele percibirse como núcleo de actividades culturales, sin embargo, las casas inclinadas y las iglesias erguidas dejan constancia de que esta zona también es rica en historia, por lo que merece la pena recorrer su laberinto de calles. Al menos durante el día la zona es segura.

La calle más antigua de la ciudad es **Warmoesstraat** y su continuación, **Nes,** que nacieron como orilla oriental del Amstel. Al mismo tiempo se construyó el **Zeedijk** (dique del mar) como barrera frente a las altas mareas y las tormentas del Zuider Zee.

Entre estos dos comenzó a desarrollarse el actual laberinto de estrechas calles. En los orígenes de Amsterdam como puerto, esta zona ofrecía sus servicios a los marineros que desembarcaban en busca de alcohol y compañía femenina. Ya entonces, algunos edificios singulares se alzaban en el mapa del barrio, y hoy ofrecen una excelente excusa para adentrarse en su historia.

El resplandor carmesí del Barrio Rojo

En 1300 se levantó una pequeña capilla en la ubicación actual de la **Oude Kerk** (iglesia Vieja), dedicada a san Nicolás, que protegía a los ciudadanos de los peligros del agua. En el siglo XV se estableció la estructura de piedra básica, convirtiéndola en el edificio más antiguo de Amsterdam. Actualmente ha perdido cierta dignidad a causa de los urinarios al aire libre que han colocado en la parte exterior de la plaza. Gran parte del espacio interior se destina a exposiciones temporales, aunque no merman el protagonismo de las vidrieras. También contiene multitud de monumentos en honor a fallecidos ilustres; por ejemplo, la primera esposa de Rembrandt, Saskia, yace bajo una de las 2.500 lápidas.

Ons' Lieve Heer op Solder, anteriormente conocido como **Amstelkring,** es un maravilloso museo que ofrece dos experiencias al precio de una. En las primeras tres plantas se dibuja una estampa de la vida en Amsterdam en el siglo XVII, con habitaciones en las que se conserva el estilo original del propietario, Jan Hartman. En las tres plantas superiores se encajó una espectacular iglesia católica que rezuma esculturas y plata. Tras la Alteración, los católicos acaudalados convirtieron sus casas en iglesias; ésta es la única que se ha conservado.

Arriba: Ons' Lieve Heer op Solder (Nuestro Señor en el Ático) está lleno de tesoros religiosos

Derecha: uno de estos edificios oculta una iglesia clandestina

Oude Kerk
✚ 199 F5
✉ Oudekerksplein 23
☎ 020 625 8284; www.oudekerk.nl
🕐 Lu–sá 11.00–17.00, do 13.00–17.00. Cerrado 1 ene, 25 dic
🚋 4, 9, 16, 24, 25 hacia Damrak
💳 Económico, gratuito con las tarjetas Museumjaarkaart y I amsterdam Card

Ons' Lieve Heer op Solder (Nuestro Señor en el Ático)
✚ 200 A4
✉ Oudezijds Voorburgwal 40
☎ 020 624 6604; www.opsolder.nl
🕐 Lu–sá 10.00–17.00, do 13.00–17.00. Cerrado 1 ene, 30 abr
🚋 4, 9, 16, 24, 25 hacia Damrak
💳 Moderado, gratuito con la tarjeta Museumjaarkaart

BARRIO ROJO: INFORMACIÓN ESPECÍFICA

Sugerencias La industria del sexo atrae a todo tipo de personas que no siempre miran con buenos ojos las **cámaras de los turistas.**
• No es una buena zona para ir en bicicleta, las calles son **demasiado estrechas y están siempre llenas de gente.** Además, no es infrecuente encontrar en el suelo cristales rotos.

Otras opciones

Rembrandt, su familia y sus alumnos comían en esta cocina

4 Rembrandhuis (Casa de Rembrandt)

La residencia del artista (entre 1636 y 1656) es una joya de principio a fin. Se accede desde el edificio contiguo y tras pasar la taquilla se baja a la **cocina**, donde se exhiben varias *camas caja*, ya que el servicio debía dormir en lo que era en realidad un armario con un colchón en su interior.

La planta baja es la más grande, con un **recibidor** especialmente opulento. Como marchante de arte, además de artista, Rembrandt conocía el valor de causar buena impresión, y aquí se exhiben muchas pinturas de sus contemporáneos. La **antesala** tiene una entrada y una chimenea de madera que imita la calidad del mármol. Detrás de la antesala había una imprenta en la que el artista reproducía sus grabados; en la tienda se venden reproducciones modernas de algunos de ellos. Picasso tomó muchas ideas de los grabados de Rembrandt, llegando a decir: "Los malos artistas copian, los buenos roban". El **salón** servía también como dormitorio de Rembrandt.

Por una estrecha escalera de caracol se accede al **entresuelo**, donde se amontona una

extraordinaria colección de obras de arte. Rembrandt sentía un entusiasta interés por los lugares lejanos y las maravillas de la naturaleza, y entre sus objetos se pueden encontrar piezas exóticas, como una hamaca de América del Sur, porcelana china, tres caparazones de tortuga gigante y una mariposa azul.

La habitación más amplia de la casa es el **estudio** de la segunda planta, una sala en la que Rembrandt trabajaba con sus alumnos.

En la **tercera planta**, antes de comenzar el descenso, se recomienda pararse a mirar la parte trasera de la casa y el moderno bloque de viviendas que limita con ella. Conforme se abandona el edificio se puede observar el magnífico portal de la izquierda (oeste), que cuenta con dos figuras de aspecto mohíno en relieve bajo las tres cruces del escudo de Amsterdam.

🚩 200 A3 🖂 Jodenbreestraat 4
☎ 020 520 0400; www.rembrandthuis.nl
🕐 Todos los días 10.00–17.00. Cerrado 1 ene 🚇 Waterlooplein 🚋 9, 14
💰 Moderado; gratuito con las tarjetas Museumjaarkaart y I amsterdam Card

5 Zuiderkerk

El principal propósito de la visita a esta recóndita y antigua iglesia es subir a sus torres para contemplar una perspectiva diferente de la ciudad, o echar un rápido vistazo a la interesante escultura de acero inoxidable situada en el agua frente a la puerta oriental, además de visitar rápidamente el interior.

Actualmente no funciona como iglesia, sino que alberga el Zuiderkerk Informatiecentrum, un centro de información municipal con exposiciones sobre el urbanismo de Amsterdam.

🔠 199 F4 ✉ Zandstraat 🕐 Rutas por la torre sólo abr–sep: lu–sá cada media hora 12.00–15.30. Iglesia: lu–vi

Zuiderkerk, la iglesia del Sur

9.00–14.00, sá desde las 12.00 🚇 Nieuwmarkt 💶 Torres: económico; iglesia: gratuita

7 Beurs van Berlage

En Damrak destaca un edificio: la espléndida silueta de ladrillo rojo de la antigua Bolsa. Hendrik Petrus Berlage diseñó la Beurs hace un siglo, confiando en la "larga vida de la organización". Sin embargo, Berlage no fue la primera elección del jurado, sino que sustituyó al ganador del concurso, quien había copiado el diseño de la fachada del Ayuntamiento de Nantes, en Francia. Berlage comenzó a trabajar en 1898 con más entusiasmo que acierto, levantando un monumento mal cimentado. Aunque casi 5.000 pilotes soportaban los 9 millones de ladrillos, ya en 1903 comenzaron a aparecer grietas. El edificio atravesó varias remodelaciones y en la década de 1950 sobrevivió a una amenaza de derrumbe.

Casualmente, en el año 2000 la Bolsa de Amsterdam se unió a las de Bruselas y París, siendo rebautizada como Euronext Amsterdam, y en la actualidad se ubica en Beursplein, 5.

Desafortunadamente, la torre, que con sus 40 m ofrece una maravillosa vista de la ciudad, no sigue abierta al público. No obstante, la antigua planta comercial y otras estancias del edificio se utilizan como salas para exposiciones importantes, espectáculos, conciertos e incluso bodas reales.

Lo que antiguamente fue la entrada principal, alberga ahora un elegante café que cuenta con un espectacular retablo de azulejos realizado por el artista simbolista Jan Toorop. Tiene unas bonitas vistas a Beursplein.

🔠 197 F1 ✉ Beursplein ☎ 020 530 4141; www.beursvanberlage.nl 🕐 Sólo para exposiciones, horarios variables. Café: todos los días 10.00–18.00 (do desde las 11.00) 🚇 Centraal Station 🚋 4, 9, 16, 24, 25 🚉 Centraal Station 💶 Variable

8 Centraal Station

Este notable edificio tiene la extraña capacidad de pasar desapercibido a los transeúntes. Sin embargo, su magnífica fachada, que se extiende a lo largo de 400 m sobre una isla artificial, posee una grandeza que ni siquiera las obras de construcción de la nueva línea de metro de Amsterdam consiguen eclipsar.

De estilo renacentista del norte, fue diseñado por el arquitecto P. J. H. Cuypers, que también ideó el Rijksmuseum (➤ 114–117) con un carácter similar. La mejor situación para apreciar una vista general de la estación es a una distancia de aproximadamente 100 m desde la entrada y en una tarde en la que el sol resalte su decoración. En la torre oriental hay un elegante reloj, mientras que en la torre occidental, un dispositivo indica a los viajeros la dirección del viento.

comercio y exportación. En el interior, las renovaciones han conseguido mejorar la mediocre remodelación de la década de 1970, aunque el foco de atención sigue siendo la plataforma 2B, donde se ubica la elegante y antigua Wachtkamer 1e Klasse, la sala de espera de la clase preferente, que actualmente está dividida en dos cafés restaurante. La entrada original está flanqueada por leones, así como por el retrato de una niña holandesa, decorado con rosas. Si se pasa junto a

La entrada principal de la Centraal Station revela su grandioso interior

él por la plataforma, se encuentra un buen ejemplo del escudo de armas de la ciudad sobre unas escaleras que bajan a la explanada.

Observando más de cerca su decoración se puede descubrir una serie de imágenes en honor a la vida comercial de la ciudad: fabricación,

🚹 200 A5 ✉ Stationsplein 🕐 Abierta 24 horas; el acceso entre las 24.00 y las 5.00 queda restringido a viajeros con billete 🍴 Muchas prestaciones en la zona comercial bajo las plataformas, así como en la plataforma 2
🚃 Cualquiera 🚌 Cualquiera

9 Scheepvaarthuis

La traducción del nombre de este peculiar edificio es Casa de Barcos, aunque también es conocido popularmente como la Casa de las Mil Ventanas. El propósito original del edifico fue el de albergar compañías navieras y, debido a ello, toda la fachada está inundada de imágenes en honor a la navegación y de llamativos anuncios de los mares principales.

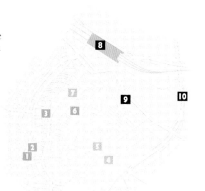

Los arquitectos eran discípulos de P. J. H. Cuypers, y tramaron el primer ejemplo del diseño de la Escuela de Amsterdam. Algunos visitantes consideran que sus elementos geométricos están basados en el diseñador escocés Charles Rennie Mackintosh, o incluso en las imágenes de la civilización maya de América Central.

Actualmente el edificio aloja el Grand Hotel Amrâth Amsterdam (► 42). Merece la pena entrar para ver la magnífica decoración y las vidrieras de las escaleras.

➕ 200 B4 ✉ Prins Hendrikkade 108 🕐 Una gran parte de su interior sólo está abierta a los huéspedes del hotel 🚇 Centraal Station 🚌 Cualquiera que se dirija a la Centraal Station 🚊 Centraal Station

10 Ciudad de las Ciencias NEMO

Aunque sigue abierto un debate en Amsterdam sobre si fue una buena idea decorar el Oosterdok con la forma de un barco hundiéndose, la mayoría ha sucumbido a los encantos de este edificio recubierto de cobre que se proyecta desde la entrada hasta el túnel subterráneo que cruza el IJ. La subida al edificio es divertida y se ve recompensada con unas magníficas vistas desde la terraza del ático. Este centro científico y tecnológico, práctico e interactivo, contiene una variedad de distracciones y exposiciones repartidas a lo largo de sus 5 plantas, dirgidas tanto a adultos como a niños de entre 9 y 14 años.

➕ 200 C4 ✉ Oosterdok 2 ☎ 020 531 3233; www.e-nemo.nl 🕐 Ma–do 10.00–17.00 (también lu durante las vacaciones escolares de Holanda y jun–ago). Cerrado 1 ene, 30 abr, 25 dic 🍴 Café (€€) 🚇 Centraal Station y posteriormente andar 800 m al este por el lado norte de Oosterdok y cruzar el puente 🎫 Caro; descuentos con la tarjeta I amsterdam Card

La construcción del edificio conocido como NEMO costó una fortuna

Dónde...
comer y beber

Precios

Precio aproximado de una comida, bebidas excluidas:

€ menos de 20 €   €€ 20–40 €   €€€ más de 40 €

CAFÉS

De Bakkerswinkel €

Con total seguridad, el pan y los dulces de las vitrinas están tan tiernos y deliciosos como parecen (y huelen). El café es bueno y, en general, es una elección excelente para tomar un aperitivo o algo ligero como una sopa, una *quiche* o un sandwich, o incluso un té con un bollo o cualquier otra delicia casera para merendar.

🞩 197 F1 🖂 Warmoesstraat 69 ☎ 020 489 8000; www.debakkers winkel.nl 🕐 Ma–sá 8.00–16.00, do 10.00–16.00. Té: ma–do 14.00–16.00

Café de Dokter €

Oculto en una calle lateral al final de Kalverstraat, este café de 200 años de antigüedad fue en su día una consulta médica. Se afirma que es el más pequeño de los *bruine cafés* de Ámsterdam. Tiene un ambiente sombrío a la luz de las velas y aspecto de tienda de segunda mano. Las lámparas y las viejas botellas acumulan polvo, los instrumentos musicales cuelgan oxidados de las paredes y el teléfono es lo suficientemente antiguo para tener cascabeles (aunque sorprendentemente, funciona).

🞩 199 D4 🖂 Rozenboomsteeg 4 ☎ 020 626 4427; www.cafe-de-dokter.nl 🕐 Ma–sá 16.00–1.00

Café Gollem €

Pequeño, sombrío y oscuro, este café de dos niveles situado en un callejón de Spuistraat dispone de una enorme gama de cervezas (204 en el último recuento). Las distintas variedades se anotan en pizarras y tanto paredes como techos están recubiertos de posavasos y carteles de cervezas. Como fondo suena jazz o blues y en la clientela se mezclan lugareños, expatriados y turistas.

🞩 199 D4 🖂 Raamsteeg 4 ☎ 065 241 7024; www.cafegollem.nl 🕐 Lu–ju 16.00–1.00, vi–sá 14.00–2.00, do 14.00–1.00

Café de Jaren €–€€

Uno de los primeros *grand cafés* de Ámsterdam. De Jaren –entretenido, sobre todo por las noches– es un lugar popular entre los estudiantes (la universidad está al lado) y entre un círculo bohemio más intelectual. Se ubica en un antiguo banco, por lo que su interior es amplio y ventilado, y dispone de una barra de dos pisos y mesas de lectura llenas de periódicos y revistas, así como de ventanales y terrazas con vistas al río Amstel. La comida es sencilla y sana, con una oferta de sandwiches, sopas, ensaladas, tartas y, por las noches, platos más sustanciosos como filetes y pasta.

🞩 199 E4 🖂 Nieuwe Doelenstraat 20–22 ☎ 020 625 5771; www.cafe-de-jaren.nl 🕐 Do–ju 10.00–1.00, vi, sá 10.00–2.00

Café Luxembourg €–€€

Este *grand café* tiene el languido ambiente de los cafés parisinos y por su aspecto se diría que lleva funcionando unos 100 años (aunque no es así). Se puede elegir entre la terraza cubierta con vistas a la plaza Spui, las banquetas de piel del interior, un taburete en la barra de mármol o las mesas de lectura provistas de periódicos y revistas internacionales. La comida es excelente e incluye cualquier cosa, desde sopas y ensaladas hasta filetes, *dim sum* y pasteles. Tienen fama sus sandwiches.

🚇 199 D4 ⊠ Spui 24 ☎ 020 620 6264; www.luxembourg.nl ⊙ Do-ju 9.00–1.00, vi, sá hasta 2.00

De Drie Fleschjes €

El elegante Tres Pequeñas Botellas es el *proeflokaal* (bar de degustación) más famoso de la ciudad. Su origen se remonta a 1650 y cuenta con una hilera de antiguas barricas de madera que ocupan toda su longitud. La variedad de licores y *jenevers* que ofrece se detalla en tableros colgados en ganchos sobre la barra, donde tienen decantadores con aromas para añadir a la ginebra. El *proeflokaal* es diminuto, prácticamente sin asientos, aunque en verano colocan mesas en el exterior, en la plaza adoquinada.

🚇 199 E5 ⊠ Gravenstraat 18 ☎ 020 624 8443; www.driefleschjes.nl ⊙ Lu–sá 13.30–20.30, do 14.00–19.00

Esprit Caffe €

La tienda de moda Esprit respalda a este *lunchcafé* de última tendencia. Su decoración minimalista con vigas de metal en primer plano y los enormes ventanales con vistas a la plaza Spui aseguran la máxima atención a su clientela, principalmente de veinteañeros. La comida, calificada como californiana (bocadillos con pan de chapata y *focaccia*, pastas, ensaladas, hamburguesas, roscas o helados Ben & Jerry's), está bastante cuidada. Además, las mesas exteriores ocupan una amplia zona de la plaza.

🚇 199 D4 ⊠ Spui 10 ☎ 020 622 1967; www.caffeesprit.nl ⊙ Lu–mi, sá 10.00–18.00, ju 10.00–22.00, vi, do 12.00–18.00

't Gasthuys €

El ambiente irradia de cada rincón de este café subterráneo, muy popular entre los estudiantes. En la planta baja dispone de una estrecha barra y, subiendo unas empinadas escaleras, se llega a dos diminutas salas con terraza hacia los canales. Es un *eetcafé* (▶ 28) con comida buena y económica, principalmente a base de sandwiches, aunque también tienen platos con una gran variedad de carnes, además de ensaladas y patatas fritas.

🚇 199 E4 ⊠ Grimburgwal 7 ☎ 020 624 8230; www.gasthuys.nl ⊙ Todos los días 12.00–1.00; almuerzo hasta 16.30; cena 17.30–22.00

Grand Café Restaurant 1e Klas €–€€

Esta preciosa sala neogótica, con techos altos, pilares pintados en las paredes y una espectacular barra tallada, fue en su día la sala de espera de la clase preferente de la Centraal Station. Su iluminación suave y la abundancia de ornamentos son interesantes, por lo que merece una visita incluso si no se espera ningún tren. Se puede disfrutar del entorno por el precio de una bebida, un sandwich o un plato de sopa de bogavante, o bien tomar una comida completa (franco-holandesa): los viajeros habituales suelen cenar juntos en mesas reservadas antes de volver a casa.

🚇 200 A5 ⊠ Centraal Station, plataforma 2B ☎ 020 625 0131 ⊙ Todos los días 8.30–23.00

Hoppe €

De este agradable *bruin café* se dice que data de 1670 y que vende más cerveza en proporción a su tamaño que ningún otro café de Holanda. Para empaparse de su ambiente hay que situarse en la mitad más antigua, caracterizada por una iluminación tenue y sin asientos, con serrín en el suelo y barriles colocados junto a las paredes. La parte moderna es más cómoda y tiene una terraza con vistas a la plaza Spui y servicio de camareros. Aunque es un lugar predominantemente de bebidas, dispone de algunos aperitivos como sopas y sandwiches. El Hoppe suele llenarse a la hora de salir del trabajo.

🚇 199 D4 ⊠ Spui 18–20 ☎ 020 420 4420 ⊙ Do–ju 8.00–1.00, vi, sá hasta 2.00

In de Waag €-€€

Este café restaurante se sitúa, como su propio nombre indica, en el Waag (▲ 23), la puerta de entrada medieval que posteriormente sirvió como lugar de pesaje y que domina Nieuwmarkt. Su interior es grandioso pero a la vez íntimo, con paredes desnudas, mesas de madera y techos abovedados iluminados por 300 velas. Para almorzar se recomiendan sus sandwiches, sin embargo, los platos del menú de cenas, más elaborados y eclécticos, tienen distintas críticas.

➕ 199 F5 ☒ Nieuwmarkt 4 ☎ 020 422 7772; www.indewaag.nl ☺ Todos los días 10.00–24.00

In de Wildeman €

Este lugar perfectamente conservado se fundó como destilería en 1690 y actualmente se califica como *bierproeflokaal*, un bar de degustación de cervezas. Entre su oferta se cuentan, al menos, 200 cervezas embotelladas y otras 18 de barril. Su atmósfera, con la vieja barra y las antiguas barricas de licores, es interesante incluso para los abstemios. Es un refugio ideal en tardes lluviosas y cuenta con una sala de no fumadores, algo poco común en Amsterdam.

➕ 197 E2 ☒ Kolksteeg 3 ☎ 020 638 2348; www.indewildeman.nl ☺ Lu–ju 12.00–1.00, vi–sá 12.00–2.00

De Ooievaar €

La Cigüeña es el bar de degustación más pequeño de Amsterdam. Aunque está ubicado en la esquina de una casa antigua y tiene las características paredes llenas de azulejos, paneles y estanterías llenas de licores, la barra sólo lleva aquí desde mediados de la década de 1990. Está a la entrada de Zeedijk (▲ 64), su ambiente es agradable y cuenta con una gran cuota de clientes habituales.

➕ 200 A2 ☒ Sint Olofspoort 1 ☎ 020 420 8004 ☺ Lu–vi 15.00–1.00, sá 13.00–1.00, do 15.00–24.00

La Place €

La animada cafetería de autoservicio de los grandes almacenes Vroom en Dreesman (V&D) (▲ 75) es ideal para tomar un sabroso almuerzo rápido y a buen precio. Ofrece una gran gama de comida caliente y fría con muy buena presentación, desde repostería y ensaladas a platos tailandeses y carne con patatas fritas, así como un buen menú de zumos naturales recién exprimidos. También cuenta con un servicio amplio y muy tentador con todo tipo de pan, sandwiches, repostería, *quiches* y tartas de manzana.

➕ 199 E4 ☒ Rokin 160 ☎ 020 531 0860; www.laplace.nl ☺ Lu 11.00–20.00, ma–mi 9.30–20.00, ju–vi 9.30–21.00, sá 9.30–20.00, do 11.00–20.00

De Sluyswacht €

Este edificio del siglo XVII, con una inclinación alarmante, fue anteriormente la casa de un encargado de las esclusas y se sitúa justo enfrente de la calle en la que está la Casa de Rembrandt. Aunque el interior no cumple las expectativas, es íntimo y agradable. Tiene una gran terraza con buenas vistas al Oude Schans y al T-Boat, el único *coffee shop* flotante de Amsterdam.

➕ 200 A3 ☒ Jodenbreestraat 1 ☎ 020 625 7611; www.sluyswacht.nl ☺ Lu–ju 11.30–1.00, vi–sá 11.30–3.00, do 11.30–19.00

Villa Zeezicht €

Este café diurno ocupa un lugar excelente en primera línea de los canales: sus ventanales tienen vistas al puente Torensluis, a menudo cubierto por las sillas del café. En el interior, todo contribuye a crear un ambiente relajado: la mezcla de muebles estropeados, la música jazz sonando de fondo y las jóvenes e informales camareras. No es el lugar ideal si se tiene prisa. Sirven *quiches*, sandwiches, cruasanes y unas famosas tartas de manzana.

➕ 197 D1 ☒ Torensteeg 7 ☎ 020 626 7433 ☺ Todos los días 9.00–21.00

Wynand Fockink €

Este encantador bar de degustación que funciona como una pequeña capsula del tiempo data de 1679. Se oculta en un callejón detrás del Grand Hotel Krasnapolsky. En las combadas estanterías se alinean las botellas de sus propios licores (la destilería está al lado), entre los que se incluyen oscuras invenciones con nombres como *sopa de loros*. Aparte de innumerables *jenevers* simples, también disponen de una docena de variedades aromatizadas. En cuanto a la comida, solo tienen cacahuetes.

☩ 199 E5 ☒ Pijlsteeg 31 ☎ 020 639 2695; www.wynand-fockink.nl ☺ Bar: todos los días 15.00–21.00. Café: todos los días 10.00–18.00

RESTAURANTES

Bird €

En esta sencilla cafetería, siempre llena y con un ritmo frenético, sirven comida tailandesa de excelente calidad. Se puede comer en una de las pocas mesas y asientos junto a la ventana o llevarse el pedido fuera. La sopa de pollo y coco es toda una comida en sí misma. El restaurante Bird, situado enfrente, tiene una carta similar en un ambiente más cómodo, aunque menos peculiar.

☩ 200 A4 ☒ Zeedijk 77 ☎ 020 420 6289; www.thai-bird.nl ☺ Todos los días 15.00–22.00

Brasserie Harkema €–€€

Su nombre proviene del anterior inquilino del edificio, una compañía tabacalera. Esta *brasserie* de estilo parisino ofrece platos más ligeros durante el día (un menú limitado) y por la noche se centra en platos clasicos con toques contemporáneos, como atún a la parrilla con mayonesa de *wasabi* o venado con *chanterelles* flambeadas. También tienen una extensa carta de vinos para acompañar las comidas. En la planta baja disponen de un amplio salon cubierto por un entresuelo de cristal. El servicio puede ser algo brusco y descuidado.

☩ 199 E4 ☒ Nes 67 ☎ 020 428 2222; www.brasserieharkema.nl ☺ Todos los días 11.00–1.00; almuerzo 12.00–16.00, cena 17.30–23.00

Café Roux €€–€€€

La *brasserie* de estilo *art déco* del Grand Amsterdam Hotel (➤ 42), elegante pero sin llegar a ser excesivamente formal, fue en su dia el comedor de los empleados del Ayuntamiento. Sus aplaudidos platos franceses se inspiran en el famoso *chef* francés Albert Roux. La comida a la carta es bastante cara, aunque la carta ofrece una verdadera ganga que incluye media botella de vino y a veces *foie gras*, pato confitado y *mousse* de moras.

☩ 199 E4 ☒ Oudezijds Voorburgwal 197 ☎ 020 555 3560; www.thegrand.nl ☺ Todos los días 12.00–14.30, 18.00–22.30

Dorrius €€

Uno de los mejores lugares de Amsterdam para probar platos tradicionales como anguilas ahumadas, sopa de guisantes o el suculento estofado *hutspot*. Ocupa un par de casas junto al canal y data de 1890, conservando un aspecto tradicional con paredes cubiertas de paneles, vigas y suelo de mármol blanco y negro. En la actualidad forma parte del moderno hotel Crowne Plaza (la mayoría de los comensales son extranjeros). El servicio es excelente.

☩ 197 E2 ☒ Nieuwezijds Voorburgwal 5 ☎ 020 420 2224; www.dorrius.nl ☺ Lu–sá 18.00–23.00

Het Karbeel €–€€

Durante el día, este edificio del siglo XVI situado en el corazón del Barrio Rojo es una concurrida tienda de sandwiches. Por la noche, se transforma en un íntimo restaurante especializado en toda una gama de suculentas *fondues*, como la de queso azul, la tradicional o la de champiñones. También tienen sopas y ensaladas, así como unos cuantos postres que van en decadencia. Los vinos están a la vista; algunos son bastante buenos y pueden pedirse por copas. El servicio es amable y eficiente.

🏠 197 F1 ✉ Warmoesstraat 58 ☎ 020 627 4995; www.hetkarbeel.nl ⏰ Todos los días 9.30–16.30, sándwiches; 16.30–23.00, cenas

Kamasutra €€

Era solo cuestión de tiempo que en el Barrio Rojo surgiera la idea de combinar la parte más conocida del antiguo libro indio con la comida. Aunque las pinturas de los murales se inspiran directamente en las ilustraciones del Kama Sutra, la gente viene aquí por su comida. El menú incluye pocas sorpresas, pero los platos estándar, como el pollo *tikka* y el *saag paneer*, están bien cocinados y tienen un precio razonable.

🏠 197 F1 ✉ Lange Niezel 9 ☎ 020 626 0003 ⏰ Todos los días 13.00–24.00

Kantjil & de Tijger €–€€

Al contrario que la mayoría de los establecimientos indonesios de la ciudad, el *antílope y el tigre* es un restaurante amplio, austero y moderno. Tiene una de las mejores comidas indonesias de Amsterdam y en su carta se detallan en inglés las distintas opciones disponibles. Además de tres tipos de auténtico *rijsttafel*, se puede pedir mini *rijsttafel* a un módico precio.

🏠 199 D4 ✉ Spuistraat 291–293 ☎ 020 620 0994; www.kantjil.nl ⏰ Lu–vi 16.30–23.00, sá–do 12.00–23.00

Lucius €€–€€€

Unos ventiladores de techo gigantes mantienen un ambiente fresco en esta estrecha y concurrida marisquería franco-holandesa. Mientras los camareros se mueven entre las paredes de azulejos, las mesas de mármol y el acuario, se pueden examinar los tableros en los que se detallan los surtidos de marisco, mejillones, patatas y ostras locales. Otras de sus especialidades son el tiburón azul, las anguilas ahumadas y los arenques, servidos con *jenever* añeja. También tienen una pequeña selección de carnes fijas a buen precio. La carta de vinos es bastante extensa e imponente, aunque cara. El servicio no es tan brillante, pero la preparación de la comida es perfecta.

🏠 199 D4 ✉ Spuistraat 247 ☎ 020 624 1831; www.lucius.nl ⏰ 17.00–24.00

Mercurius €€–€€€

Los candelabros cuelgan de los altos techos en este grandioso edificio del siglo XIX, y la decoración incluye florituras barrocas y muebles posmodernistas. El Mercurius es un lugar ideal para los curiosos. El *chef* Olaf Oldenburg ha ideado unos platos sabrosos e innovadores con alguna influencia mediterránea, como la ensalada de hierbas y mostaza con pulpo marinado o la codorniz asada al jerez.

🏠 197 F2 ✉ Prins Hendrikkade 20–21 ☎ 020 521 7010; www.restaurant-mercurius.nl ⏰ Todos los días 10.00–19.00

Nam Kee €

En caso de que se de más importancia a la decoración y al ambiente que a una comida excelente y sin florituras, este restaurante chino no es la mejor opción. Las mesas de sus dos sencillos salones de azulejos blancos, siempre llenos tanto de chinos como de gente del resto de nacionalidades, se suelen compartir. El menú ofrece porciones gigantes de unos deliciosos fideos fritos, junto con numerosos platos agridulces y *teppan*. El servicio puede resultar algo brusco.

🏠 200 A4 ✉ Zeedijk 111 ☎ 020 624 3470 ⏰ Todos los días 12.00–24.00

Supper Club €€€

En esta bodega de una sola habitación, sin ventanas y con paredes en color crudo, se come sobre el regazo, apoyado en largas filas de colchones dispuestos alrededor de las paredes simulando literas gigantes. El entretenimiento viene de la mano de música melodiosa, imágenes cinematográficas proyectadas en una de las paredes o incluso, quizá, música y baile en directo.

Y entre platos, se puede disfrutar de un masaje. La sensual experiencia en conjunto merece la pena, aunque la comida en sí es mediocre. Las cenas pueden prolongarse 4 horas. Esta misma compañía es propietaria de un crucero *supper-club*.

➕ 199 D5 ☒ Jonge Roelensteeg 21 ☎ 020 344 6400; www.supperclub.nl ⓒ Todos los días 20.00–1.00

Vermeer €€€

Con sus techos repletos de vigas, candelabros de latón y suelos de mármol, el Vermeer se sitúa en una de las casas del siglo XVII que pasaron a alojar el NH Barbizon Palace Hotel. Es un lugar para comer tan formal como cualquier otro en Amsterdam y ha obtenido varios premios. Se recomienda comenzar la comida con un aperitivo junto al fuego en el salón y posteriormente, disfrutar de las interesantes combinaciones de

sabores del chef Chris Taylor, como el pato con pomelo, alcaparras y alcachofas seguido de un mil hojas de clavo, miel, higos y peras.

➕ 200 A5 ☒ Prins Hendrikkade 68 ☎ 020 556 48 85; www.restaurant vermeer.nl ⓒ Lu–vi 12.00–14.30, 18.00–22.00, sá 18.00–22.00

d'Vijff Vlieghen €€–€€€

El Cinco Moscas está envuelto en el romanticismo de la Edad de Oro, con sus nueve salones repartidos entre cinco casas del siglo XVII. Si hay suerte, se puede terminar sentado junto a un grabado original de Rembrandt o en la silla en la que se sentaron en su día Elvis Presley o John Wayne (todas tienen una pequeña placa con el nombre de algún comensal famoso). La cocina holandesa moderna es imaginativa y con una presentación excelente, y el menú estacional tiene una buena relación calidad-precio.

➕ 199 D4 ☒ Spuistraat 294–302 ☎ 020 530 4060; www.thefiveflies.com ⓒ Todos los días 8.00–22.00

Dónde...
comprar

En general, ir de compras en el centro de la ciudad no es una actividad tan agradable como en otros lugares de Amsterdam. Kalverstraat y Nieuwendijk, las principales calles comerciales de la ciudad, suelen estar muy concurridas (sobre todo los fines de semana) y ser bastante monótonas. Más allá de estas calles se encuentran algunas sorpresas, como el imponente centro comercial Magna Plaza; además, entre los establecimientos dedicados al sexo del Barrio Rojo se pueden encontrar algunas tiendas divertidas y muy antiguas.

Kalverstraat y Rokin

Su nombre deriva de un mercado de terneros que se celebraba en esta

zona en el siglo XV y actualmente es una calle peatonal repleta de tiendas de las cadenas de ropa urbana más comunes. El final meridional (Muntplein) tiene más estilo y en él son dignos de visitar los grandes almacenes **Maison de Bonneterie** (de designación real y con mucha clase, con candelabros bajo la cúpula y un elegante café) y **Vroom & Dreesman** (parte de una cadena nacional de gama media, con el excelente La Place café ▶ 72).

Al cruzar la calle está el nuevo **centro comercial Kalvertoren,** cuyo elemento más interesante es su café, situado en una torre de cristal con unas amplias vistas a los canales. **Waterstones** (nº 152) es una librería interesante donde se puede encontrar cualquier cosa que haya sido escrita sobre Amsterdam y todo lo referido a Holanda.

En Muntplein se puede visitar la **Galleria de Munt,** en la vieja puerta (▶ 58) que data de 1890. Esta tienda de aire antiguo está especializada en cerámica de Delft y de Makkum (en la planta superior guardan piezas antiguas).

Rokin, una paralela a Kalverstraat, está llena de tranvías, por lo que no es el lugar más agradable para pasear. Sin embargo, tiene unas cuantas tiendas tradicionales de antigüedades como **Premsela & Hamburger** (n° 98), que lleva comerciando con plata desde 1823. Una tienda imprescindible situada en Rokin, tanto para fumadores como para los que no lo son, es el estanco **PGC Hajenius** (n° 92–96): el interior *art déco* y las paredes de mármol mantienen el mismo aspecto desde su diseño en 1915, y en ella se pueden encontrar pipas de arcilla hechas a mano, una barra, una librería con libros sobre el tabaco y, normalmente, muestras de puros.

Alrededores de la plaza Dam

De Bijenkorf (Dam, 1), traducido como La Colmena, son los grandes almacenes más famosos del país. Tienen los típicos mostradores de cosméticos en la planta baja, además

de un buen café cuyos ventanales dan a Damrak, así como ropa moderna y esposas que brillan en la oscuridad, parte de su colección *chill out* de la quinta planta.

Cruzando la plaza se encuentra el **Amsterdam Diamond Centre** (Rokin, 1–5), donde se puede ver cómo trabajan los talladores y comprar relojes o diamantes. En las tiendas situadas a la vuelta de la esquina en Damstraat, se pueden adquirir recuerdos típicos de Holanda, como queso, zuecos o imanes con forma de casas.

Al oeste de la plaza, en Nieuwezijds Voorburgwal, detrás del palacio Real, destaca el **centro comercial Magna Plaza**, en un espléndido edificio neogótico que anteriormente alojaba la sede de correos de la ciudad. Incluye principalmente *boutiques* de ropa y abre todos los días hasta las 19.00 (ju 21.00). Los aficionados a la cerveza no deben perderse **De Bierkoning** (▶ 34), en la esquina de Paleisstraat, 125.

Nieuwendijk

En el camino entre la plaza Dam y la estación de tren, son pocos los establecimientos que justifican hacer una parada. La excepción es **Oud Amsterdam** (n° 75), una tienda especializada en licores que se estableció hace casi tres siglos, en 1710, y que merece la pena visitar aunque sólo sea para admirar su sorprendente colección de miniaturas.

Spuikwartier

Aunque esta zona es más conocida por sus cafés y restaurantes, también concentra numerosas librerías nuevas y de segunda mano, así como un mercado de libros (▶ 77). También en Spuistraat son interesantes las tiendas **Dom** (n° 281), de inusitados artículos para el hogar como sofás inflables, y la **Magic Mushroom Gallery** (n° 249). El diseño de esta famosa *smart shop* (▶ 46) imita un jardín con césped artificial y vitrinas en forma de seta donde se exhiben distintas pastillas.

Si lo que apetece son dulces, los helados artesanos o los pasteles de manzana de **Lanskroon** (Singel, 385, ¡justo al salir de Spui), una pastelería que dispone de una pequeña zona de asientos, no suelen defraudar a nadie.

Alrededores del Barrio Rojo y Nieuwmarkt

Entre los *coffee shops* de estilo *grunge* y las *smart shops* de Warmoesstraat coexisten unos cuantos establecimientos que merece la pena mencionar. **Wijs & Zonen** (n° 102), una tienda de nombramiento real y con un aroma maravilloso, lleva vendiendo té y cafés desde 1828, mientras que **Himalaya** (n° 56) se especializa en libros New Age, carillones de viento y música de relajación, además de tener un agradable café al fondo. **Condomerie** (n° 141), la primera tienda especializada en preservativos del mundo, da un toque de diversión y *glamour* al mundo de los anticonceptivos.

Justo al sur de la Nieuwmarkt, en Kloveniersburgwal, 12, se localiza **Jacob Hooy**, una farmacia detenida en el tiempo que fue fundada en 1743. Esta forrada de cajones del siglo XIX y jarras de barro etiquetadas con docenas de hierbas medicinales. Su especialidad son los remedios de aromaterapia y la cocina sana. Bajando por esta misma calle se llega a la longeva **Head Shop**, en el nº 39, con todo tipo de parafernalia para los fumadores de hachís.

La pequeña Nieuwe Hoogstraat está llena de divertidas tiendas de regalos. **De Hoed Van Tijn** (nº 15) es una elegante tienda de sombreros y **Joe's Vliegerwinkel** (nº 19) se especializa en cometas y otros juguetes volantes, como *frisbees* o *boomerangs*. Al final de la calle se perfila **Knuffels**, una tienda de juguetes infantiles con una excelente colección de móviles y zuecos. Un poco más abajo está la **Rembrandthuis** (▶ 66), donde venden buenas reproducciones.

(▶ 66)

MERCADOS

Nieuwmarkt (do 9.00–15.00, may–sep): mercado de antigüedades.

Oudemanhuispoort (lu–sá 10.00–16): bajo los arcos de este sombrío pasillo de la universidad siempre hay unos cuantos puestos de libros de segunda mano.

Spui (vi 10.00–18.00): libros antiguos y de segunda mano y grabados; (do 10.00–18.00): varios puestos venden obras de arte moderno aceptables.

Waterlooplein (lu–sá 9.00–17.00): el mercado al aire libre más célebre y concurrido de la ciudad era incluso mayor y más esplendoroso antes de que se erigiese el masivo complejo del Ayuntamiento y la ópera durante la década de 1980, en la que es hoy una mediocre plaza moderna. Es ideal para comprar cosas como chaquetas de piel, discos de segunda mano, carteles de películas o cadenas de bicicleta.

Dónde...
divertirse

Una salida nocturna por el centro de la ciudad puede ser tan informal o tan sofisticada como cada uno desee. Es tan fácil dejarse atrapar por la vibración de los locales más de moda como disfrutar de una noche en la ópera o escuchando jazz moderno.

El Barrio Rojo y sus alrededores

Por la noche, las luces de neón invaden las calles comprendidas entre Zeedijk, Warmoesstraat y una línea desigual dibujada entre Dam y Nieuwmarkt. Iluminan a los paseantes y a los turistas que acuden llevados por la curiosidad hacia la fama legendaria del barrio. Lejos de ser una zona solitaria, el distrito se ha convertido en una

atracción turística más que por las noches acumula bastante afluencia de personas. Este hecho, sumado a la evidente presencia policial, hace de las calles principales lugares seguros. No obstante, conviene evitar los callejones traseros, particularmente los de la punta norte de Zeedijk. Para visitar un sex shop se recomienda el **Theatre Casa Rosso** (Oudezijds Achterburgwal, 106–108; tel: 020 627 8954; www.casarosso.com).

Zeedijk, que fue una vez una zona prácticamente prohibida, ha sido sometida a un cambio de imagen total en la última década, aunque todavía hoy sigue teniendo un halo de cierta oscuridad. Su extremo norte, más atractivo, está lleno de restaurantes y cafés con personalidad propia, como **De Ooievaar** (▶ 72) y frente a él, en Zeedijk, 1, **In t'Aepjen**. Su nombre significa En los Monos y proviene de su origen como albergue para marineros, que podían alquilar una cama para dormir con su mono.

En Nieuwmarkt, rodeado de más cafés, el lugar más interesante es **In de Waag** (▶ 72). Si se busca un *bruin café* sencillo, **'t Loosje** (Nieuwmarkt, 32) podría ser un buen ejemplo.

Seguramente, Warmoesstraat tiene más *coffee shops* que ninguna otra calle de Amsterdam. Entre ellos se mezclan algunos locales gay, como el relajante **Cockring** (n° 96), al que puede que le falte alguna letra del cartel, ya que los clientes suelen llevárselas como *souvenir*, o **Getto** (n° 51) un bar de cócteles *kitsch*, acogedor y amable, con música pinchada por DJs. En **Winston Kingdom** (n° 131) suena música rock en directo la mayoría de las noches. El local funciona como discoteca, bar y restaurante.

Spuikwartier

La zona que rodea Spuistraat, al sur de Raadhuisstraat, cuenta con una concentración de restaurantes, cafés y bares que se adaptan a todos los gustos y bolsillos, incluyendo algunos de los mejores *bruine* y *grand cafés*, así como bares de moda de la ciudad. La mayoría de ellos se encuentran en el extremo sur de Spuistraat y en la plaza Spui. Además de los recomendados en las páginas 70–73, el **Café Dante** (Spuistraat, 320), con una joven clientela tan atractiva como las obras de arte que se exhiben en la planta superior, es una visita obligada. En Nieuwezijds Voorburgwal, justo al sur de Dam, se agrupan las discotecas más de moda.

Música y teatro

La ópera de Amsterdam, el **Muziektheater** (Amstel, 1–3, tel: 020 625 54 55, www.muziektheater.nl), forma un único complejo con el Stadhuis o ayuntamiento. Su construcción junto a Waterlooplein en la década de 1980, en el corazón del viejo barrio judío, causó una enorme controversia: el grito de acción de los oponentes ha sobrevivido como sobrenombre del complejo, Stopera. La imponente estructura de mármol, ladrillo y cristal es la sede de la Ópera de Holanda y del Ballet Nacional. De octubre a mayo, los martes a las 12.30, se ofrecen conciertos de música hora gratuitos en la **Boekmanzaal**, una sala secundaria. Además, durante todo el año, los sábados a las 12.00 se puede hacer una ruta por el *backstage* (reservas en el 020 551 8054). En obras con entradas agotadas se puede probar suerte, en caso de que alguien no recoja su entrada, pidiendo un ticket numerado en la taquilla una hora antes de la función.

Beurs van Berlage (Beursplein, 1; tel: 020 530 414; www.beursvanberlage.nl), la antigua Bolsa diseñada por Hendrik Berlage y finalizada en 1903, es un excelente ejemplo de la Escuela de Arquitectura de Amsterdam. Normalmente, la impresionante entrada principal aloja exposiciones, mientras que las orquestas de cámara y la Filarmónica de Holanda tocan en otras de sus salas, una de las cuales tiene como escenario una caja de cristal gigante que no está sujeta a una base.

Gracias a la pluralidad multicultural de la ciudad, es fácil encontrar música internacional muy buena y variada. Con este objetivo, una (generalmente) joven multitud acude las noches de viernes y sábados a partir de las 23.00 a **Akhnaton** (Nieuwezijds Kok, 25, tel: 020 624 3996; www.akhnaton.nl), mezclándose con el humo del *cannabis*.

El **Amsterdams Marionetten Theatre** (Nieuwe Jonkerstraat, 8; tel: 020 620 8027; www.marionettentheater.nl) ofrece funciones de marionetas de madera de estilo europeo. Su especialidad son las óperas. El edificio del teatro fue anteriormente una herrería.

Anillo de los canales – Oeste

Cómo orientarse

En la parte occidental es donde reside la verdadera esencia de Amsterdam y es aquí, por lo tanto, donde se dibujan las fotografías más románticas de la ciudad. Los preciosos canales y tranquilos jardines coexisten en armonía con algunos de los locales más caprichosos de última moda. En cualquiera de las calles por las que se pasee, es bastante probable encontrarse con una maravillosa casa antigua adornada con preciosas placas o hastiales, una tienda o un café interesantes o unas magníficas vistas a los canales.

La mejor forma de obtener una panorámica general de la zona es a través de un crucero por los canales, seguido de un paseo por sus fascinantes calles.

El Jordaan es el centro de la zona más bohemia. Lo que antes constituía la periferia, ocupada por la clase trabajadora de la ciudad, se ha convertido en la actualidad en uno de los barrios más atractivos. Algunos de los nuevos residentes habitan en los antiguos y elegantes *hofjes* (beneficencias) que salpican la zona, la mayoría de los cuales se pueden visitar. Entre el Jordaan y el centro de la ciudad otra zona bastante concurrida y llena de buenos cafés y restaurantes es la conocida como las 9 Calles.

Siguiendo hacia el oeste, la moda se extiende hasta una antigua fábrica de gas abandonada. Muchos visitantes se ciñen a la estrecha franja que va desde la Casa de Ana Frank, pasando por Westerkerk, hasta la zona de ocio que rodea Leidseplein. Sin embargo, merece la pena despegarse de este trayecto turístico para descubrir la Amsterdam que prefieren sus ciudadanos.

Los canales ofrecen las mejores vistas de la ciudad

Página anterior: el Jordaan al atardecer

★ **Imprescindible**

- **1** Ruta por los
- **3** canales ➤ 84
- **4** Jordaan ➤ 88
- **8** Westerkerk ➤ 92
  Anne Frank
  Huis ➤ 94

Otras opciones

- **2** Leidseplein y American Hotel ➤ 98
- **5** Theatermuseum ➤ 99
- **6** Homomonument ➤ 99
- **7** Amsterdam Tulip Museum ➤ 99
- **9** Westergasfabriek y Westerpark ➤ 100

Un día en esta zona de belleza sublime aúna la Amsterdam antigua y la moderna, ofreciendo destellos de la fascinante historia de la ciudad.

Anillo de los canales – Oeste en un día

9.00

Adelántese a la multitud cogiendo el primer barco para dar un paseo por los ❶ **canales** (➤ 84–87). Se navega rodeando toda la ciudad, aunque los lugares más bonitos e interesantes son los alrededores del anillo occidental de canales.

10.00

Es la hora perfecta para dar un paseo por ❷ **Leidseplein** (➤ 98), antes de que comience a llenarse de turistas aficionados a la cerveza y al hachís. Se puede disfrutar de un café en una terraza o, en días fríos o lluviosos, entrar en calor en el opulento ambiente del Café Américain, en el **American Hotel** (➤ 98).

11.00

Siguiendo hacia el norte, para abrir el apetito nada mejor que un largo paseo por el ❸ **Jordaan** (➤ 89–91), al tiempo que se admiran las excelentes vistas y se visitan uno o dos de los *hofjes* (patios) que ofrecen un refugio en la ciudad.

13.00

Desde cualquier lugar del Jordaan se está cerca de la animada zona de moda de las 9 Straatjes, o 9 Calles (➤ 105), ideal para comer en alguno de sus cafés. Después se recomienda mirar los escaparates, ya que en esta zona se encuentran algunas de las tiendas más imaginativas de Amsterdam.

14.30

En la esquina noroccidental de las 9 Calles se alza la **4 Westerkerk** (► 92–93), lugar donde se celebran las bodas reales y hay una marca que señala la tumba de Rembrandt. En verano (abril-octubre) se puede subir a la torre. Otra opción es cruzar Herengracht para acercarse a la preciosa casa junto al canal que alberga el **5 Theatermuseum** (► 99) y después admirar el **6 Homomonument** (► 99), un símbolo de tolerancia.

16.00

Haga una pausa para tomar un café, bien en el agradable Café Chris (► 101), situado en Bloemstraat, o, en días con buen tiempo, en alguno de los cafés a la orilla de los canales, como el Café 't Smalle (► 102).

17.30

Gracias a los amplios horarios de la **8 Anne Frank Huis** (izquierda, ► 94–97), se puede aprovechar para visitarla a esta hora.

19.30

Hora ideal para elegir un *bruin café* en el que tomar un aperitivo o dirigirse a Leidseplein simplemente para observar a la gente y tomar una cerveza.

20.00

Para cenar, se puede elegir un *eetcafé* clásico, como el Café de Reiger (► 103). Un lugar algo más elegante sería el Bordewijk (► 103), una apuesta segura para una comida fantástica.

22.00

Para acabar el día, puede probar a ganar una fortuna en el Holland Casino (► 107). Otra opción es ver qué música ofrecen en Melkweg o Paradiso (► 108), dos de las mejores salas de Amsterdam.

Rutas por los canales

Al año, dos millones y medio de turistas hacen una ruta por los canales de Amsterdam en una de las embarcaciones de una flota combinada de casi 100 barcos turísticos. La ciudad se diseñó para verla desde el agua, y el ritmo lento de los barcos es ideal para apreciar la grandeza de las casas, la abundancia de vegetación o el atractivo de vivir a la orilla de los canales.

Elección de la ruta

Cada operador cuenta con un punto de salida y un itinerario distintos. La competencia entre las distintas compañías contribuye a que los precios sean bajos y la calidad alta. Muchos barcos ofrecen comentarios grabados de antemano en distintos idiomas, restándole tranquilidad al paseo. Amsterdam Canal Cruises, situado frente a la fábrica de Heineken, ofrece una atractiva ruta por algunos de los mejores paisajes.

Abajo izquierda: la fábrica de Heineken es el punto de inicio de Amsterdam Canal Cruises

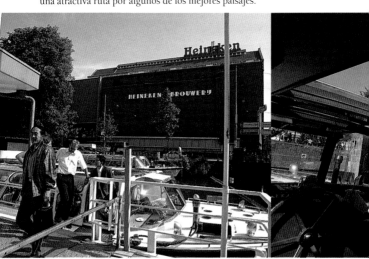

Circuito por la ciudad

Este itinerario se basa en la ruta de Amsterdam Canal Cruises (➤ 87 para más datos). Como la mayoría de las rutas, rodea Amsterdam en el sentido de las agujas del reloj y entra en el río Amstel, la vía fluvial que propició la fundación de la ciudad. (Algunas rutas van en sentido opuesto y evitan totalmente el Amstel).

En el Amstel destacan las vistas de las **esclusas,** el gran **Carré Theatre** y el **Magere Brug** (➤ 150–151). El estético **Amstelhof,** uno de los primeros refugios de Amsterdam, domina la orilla oriental entre Keizersgracht y Herengracht.

Arriba: en un barco descubierto se tienen las mejores vistas

El control de las aguas

El nivel del agua en Amsterdam se mantiene bajo un control constante gracias a un sistema de cierres. Se suele decir que los 3 m de profundidad están compuestos a partes iguales de agua, bicicletas y barro. De forma periódica se extraen bicicletas de los canales, junto con viejos frigoríficos, somieres y demás mobiliario.

Uno de los canales preferidos del anillo es el **Herengracht**, y Amsterdam Canal Cruises recorre gran parte de su longitud. En el punto en el que se une con **Reguliersgracht**, el canal de los Siete Puentes, el barco disminuye su marcha para ofrecer una panorámica de los curvados puentes alineados en idéntica posición a lo largo del canal.

La ruta habitual entra en **Brouwersgracht,** uno de los tramos más bonitos de Amsterdam, antes de girar al norte (en una delicada maniobra) para incorporarse al Singel y adentrarse en una sucesión de puentes que desembocan en el río IJ. La idea de alejarse de la ciudad puede ser liberadora, aunque la experiencia de cruzarse con un gran barco de cruceros es bastante intimidatoria.

Abajo derecha: algunos de los puentes de la ciudad son un poco estrechos para los barcos turísticos

Derecha: es casi obligatorio fotografiar el canal de los Siete Puentes

Las casas flotantes

Las viviendas de todo tipo y tamaño que se encuentran atracadas a orillas de los canales de Amsterdam son una adición relativamente nueva a su paisaje. Esta práctica de vivir en casas flotantes se remonta a finales de la II Guerra Mundial, cuando el alojamiento en la ciudad era escaso. En la actualidad existen unas 2.500, la mayoría legítimas, con electricidad y agua potable, y cerca de 100 ilegales, aunque toleradas. Muchas están realizadas a partir de los cascos ennegrecidos de viejos barcos mercantes de acero. Sin embargo, está en auge construir casas sobre una base de hormigón, a veces incluso con jardín o patio, ya que no necesitan mantenimiento y ofrecen un espacio útil más amplio. Las casas flotantes, incluidas las legales, no disponen de un sistema de alcantarillado distinto a los canales en sí, por lo que el agua de los mismos se renueva frecuentemente mediante un proceso cuidadosamente gestionado consistente en bombear agua desde el río Amstel.

Para comprobar cómo es la vida a bordo, se puede visitar el **Houseboat Museum,** atracado en la orilla occidental de Prinsengrancht, justo al sur de su unión con Berenstraat (tel: 020 427 0750; www.houseboatmuseum.nl; abierto ma–do 11.00–17.00, excepto nov, dic, feb vi–do 11.00–17.00. Cerrado ene y en ciertas vacaciones; económico).

El tramo en río abierto se extiende 1 km, desembocando en la parte trasera de **Centraal Station,** desde donde hay una extraña vista de **Amsterdam Noord,** incluyendo la sede de la petrolera multinacional Royal Dutch Shell. El navío gira al sur bajo dos puentes giratorios (uno de los cuales conduce ocho vías ferroviarias hacia la estación principal) y se adentra en **Oosterdok,** el anterior puerto principal hasta que las vías impidieron que el IJ llegase hasta él. En este momento entra en el campo de visión el gigante edificio de cobre de **NEMO** (► 69). Se observa entonces la réplica del clíper **De Amsterdam** (► 146), anclado temporalmente en NEMO mientras se realiza la remodelación del Scheepvaart Museum.

La ruta de Amsterdam Canal Cruises continúa por el Amstel hasta volver a su punto de partida en Singelgracht.

Vivir en una casa flotante en Amsterdam puede ser una bonita experiencia

Rutas por los canales

✉ La mayoría de compañías: situadas en la cuenca de Damrak y alrededores, frente a la Centraal Station. Kooij: a las puertas del Allard Pierson Museum en el canal Binnen Amstel

Amsterdam Canal Cruises

Los canales de la ciudad tienen una gran actividad

✉ Orilla septentrional de Singelgracht, justo enfrente de la fábrica de Heineken
☎ 020 626 5636; www.amsterdamcanalcruises.nl
🕐 Rutas: cada 30 minutos 9.00–18.00 en verano, 9.00–17.00 en invierno. Travesía sin paradas, con una duración de 75 minutos aproximadamente

RUTAS POR LOS CANALES: INFORMACIÓN ESPECÍFICA

Sugerencias La competencia existente es tal que **comprar un billete por adelantado** puede rebajar incluso el precio del viaje con bono. A veces, los hoteles y hostales económicos anuncian descuentos de hasta más de un tercio.

• Conviene comer y beber algo antes, ya que **la mayoría de los barcos no disponen de bar a bordo,** excepto los cruceros de tarde con cena incluida.

• **Canal Bike** (tel: 020 626 55 74; www.canal.nl; abierto 10.00–18.00 aproximadamente) dispone de un servicio de recogida en un punto y entrega en otro de barcas a pedales para 4 personas, ofreciendo la posibilidad de hacer rutas personalizadas. Se puede recoger o entregar una *canal bike* en tres puntos del anillo occidental de canales: la orilla norte de Leidseplein, en Keizersgracht a la altura donde lo cruza Leidsestraat y en la puerta de Anne Frank Huis. La cuarta opción es en la sede principal de la compañía, en Weteringschans, cerca de la entrada al Rijksmuseum.

Cómo evitar las multitudes En verano, durante el día se pueden acumular más de 80 barcos en los canales, aparte de embarcaciones más pequeñas. El atasco puede ser grave, prolongando el tiempo medio del viaje; además, algunas salidas pueden estar completamente reservadas para grupos. Lo mejor es intentar **tomar una de las primeras salidas del día,** sobre las 9.00, ya que a partir de las 10.00 empieza la hora punta, que se prolonga hasta las 17.00 o 18.00.

El Jordaan

Esta antigua zona humilde es la que mejor se conserva de Amsterdam. En cualquier lugar, entre la estrecha red de calles y canales, es bastante probable encontrar un rico conjunto de arquitectura impresionante, tiendas interesantes, vistas de ensueño y un ambiente familiar y tranquilo. En estas páginas se presenta un paseo perfecto para explorar la zona, del que el visitante se puede desviar cuantas veces quiera para asomarse, por ejemplo, a los patios ocultos que confieren al Jordaan ese aire especial y único.

La Edad de Oro del siglo XVII trajo consigo una explosión demográfica, ya que Amsterdam atraía a artesanos y arrastraba a buscadores de fortunas de toda Europa. Como la clase adinerada se concentraba en los alrededores del nuevo anillo de canales, detrás de éste surgió una zona con una gran densidad de viviendas, alzada sobre lo que antes eran campos verdes.

El nombre Jordaan deriva de la palabra francesa *jardin*, aunque sus decenas de miles de personas abarrotando la zona le daban un aspecto bastante distinto. El área forma una franja de tierra que bordea el oeste del anillo de canales, flanqueada por Prinsengracht al este y Lijnbaansgracht al oeste. La frontera la conforman, al norte Brouwersgracht, y al sur Looiersgracht, que marca a su vez el inicio de este paseo.

El carácter de la ciudad cambia al oeste de Prinsengracht: el ritmo de vida disminuye de forma proporcional al tamaño y ambición de los edificios. El puente que cruza **Looiersgracht** es un mirador excelente,

El Jordaan aloja una gran multitud de tiendas peculiares

desde el que se puede continuar hacia el noroeste por **Eerste Looiersdwarsstraat,** para pasar por algunas tiendas realmente interesantes, en cuyo interior se mezclan antigüedades y trastos.

La calle pasa a llamarse **Hazenstraat**, franja que contiene toda una gama de tiendas especializadas donde se puede encontrar, por ejemplo, aceite de oliva con los grados deseados (➤ 106). Este paisaje de ensueño se puede ver bruscamente interrumpido por la única arteria grande del Jordaan: **Rozengracht.** Esta calle parece no tener nada que ver con el resto de la zona, con sus cuatro rutas de tranvía y una gran cantidad de tráfico que se mueve entre las tiendas venidas a menos.

Una vez pasada esta calle, se alcanza **Bloemstraat,** aunque no se encontrarán demasiadas flores en ella, ni en ninguna de las demás calles del Jordaan. El paseo continúa con dirección hacia la torre de **Westerkerk** (➤ 92–93), que funciona como atalaya de referencia para los turistas (o ciudadanos) perdidos. Antes de llegar a Westerkerk, se puede girar a la izquierda a través de **1e Bloemdwarsstraat**, que conduce hacia una zona donde se concentran distintos *hofjes* (➤ 90). Zigzagueando hacia **Westerstraat**, se llega al puente **1e Leliedwarsstraat**, que cruza **Egelantiersgracht**, desde donde se obtiene la que probablemente sea la mejor perspectiva de los canales de Amsterdam.

La auténtica gran vía del Jordaan es Westerstraat, aunque su encanto se ve ensombrecido por los numerosos coches aparcados en ella. Si se sigue la calle en dirección norte desde el centro de **Lindengracht**, en pocos minutos se alcanza el punto más septentrional del Jordaan.

Egelantiersgraht es uno de los canales más fotogénicos de Amsterdam

Desde aquí se puede comenzar la ruta 1 (➤ 174–177) o la ruta 3 (➤ 181–183), dirigirse hacia el oeste hasta la **Westergasfabriek** y el **Westerpark** (➤ 100) o pasear de vuelta por un camino distinto para descubrir otros lugares interesantes del distrito.

Los 'hofjes' del Jordaan

El Jordaan es una caja de sorpresas ocultas. Tras una sucesión de sencillos portales se esconden preciosos patios, la mayoría construidos por los nobles y poderosos en beneficio de los pobres y las clases bajas. Servían como refugio a ancianos de una comunidad religiosa particular, y algunos de ellos aún siguen manteniendo su fe original. El estilo de estos *hofjes* abarca desde conjuntos de casas desordenadas en un patio comunal hasta cuidadas casitas situadas alrededor de arreglados jardines. También existen en otras zonas de Amsterdam, aunque la mayor concentración se encuentra en el Jordaan.

Si sólo se dispone de tiempo para visitar un único *hofje*, **Karthuizerhof** (Karthuizerstraat 89–171) es más grande y bonito que los demás. El Huyz-Zitten Weduwen Hofje (nombre de los fundadores) es un gran patio cuyo punto de interés central son un par de bombas de agua decoradas. Todas las viviendas se disponen de forma estrictamente simétrica, según el estilo de mediados del siglo XVII, época en la que se construyó. En su nivel superior se dejó un espacio para colocar una ventana y magnificar así la amplitud del *hofje*.

Claes Claesz Hofje, Egelantiersstraat 34–54, es uno de los *hofjes* más accesibles (abierto 24 horas). Está en una zona de gran concentración del Jordaan, fundiéndose con las casas de Egelantiersstraat, la paralela Tuinstraat y Eerste Egelantiersdwarstraat, donde se ubica la entrada principal. Fue fundado en 1626 por Claes Claesz, un mercader textil menonita. Está formado por tres patios de vegetación silvestre que están comunicados, y actualmente es una residencia para estudiantes de música. Los días lluviosos también sirve de refugio a los fumadores de hachís. Dispone de una segunda entrada a la vuelta de la esquina, justo al lado del restaurante Taverne, que invade uno de los patios. Si se sale por este portal, sobre la entrada del restaurante se vislumbra una placa de

Los bulliciosos mercados son uno de los rasgos típicos del Jordaan

**Derecha:
Karthuizerhof,
el mayor *hofje*
del Jordaan**

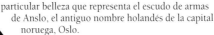

**Todos los arcos
del Jordaan
revelan algún
secreto**

particular belleza que representa el escudo de armas
de Anslo, el antiguo nombre holandés de la capital
noruega, Oslo.

St. Andrieshofje, Egelantiersgracht, 107–145, es
totalmente opuesto a Claes Claesz Hofje, un modelo de
calma y orden, con jardines perfectos y casitas
asimétricas. Se permiten visitas entre 9.00 y 18.00;
fuera de ese horario, los residentes guardan
celosamente su intimidad.

Si se tiene la suerte de encontrar el escondido
Zevenkeurvorstenhofje, Tuinstraat 199–225 (abierto
todo el día), la recompensa es la imagen de un
pequeño patio completamente aislado de la ciudad.
Actualmente pertenece a una promotora y la lista de
espera para optar a una de sus residencias es
interminable.

El rasgo más atractivo de **Bosschehofje,** Palmgracht
20-26, es su entrada principal vista desde la calle: sobre la
puerta cuelga una extraña placa, y debajo de ésta, una mirilla y
una piedra angular sobre un arco de ladrillos macizos. Por
dentro es como cualquier otro espacio comunal, con niños
jugando y ropa tendida, aunque tiene buenas vistas a los muros
traseros de algunas casas interesantes.

Jordaan
✉ 196 C2

JORDAAN: INFORMACIÓN ESPECÍFICA

Sugerencias Debido a la alineación de calles y canales del Jordaan, **la mejor
luz para las fotografías** se consigue al atardecer.
• El Jordaan es un lugar ideal para celebrar el **Día de la Reina, el 30 de abril.**

Curiosidades Para experimentar cómo es la vida en una casa flotante, se
puede visitar el **Houseboat Museum** (➤ 86), anclado en Prinsengracht, en Johnny
Jordaan Plein.

Westerkerk

De todas las bellas iglesias de Amsterdam, ésta es la que está más integrada en la vida de la ciudad, e incluso del país. Su torre, un milagro de la construcción dada la inconsistente geología, domina la parte oriental de Amsterdam. Los ciudadanos locales consideran una bendición el haber nacido con el sonido del carillón de Westerkerk, símbolo de identidad de este poblado y adorado vecindario del oeste de la ciudad.

Vista de Westerkerk desde Keizersgracht

El domingo de Pentecostés de 1631 se inauguró la Westerkerk, una de las primeras iglesias protestantes de la ciudad, construida por Hendrick de Keyser (1565–1621). La torre, finalizada 7 años más tarde, mide 85 m y contiene las campanas más pesadas de la ciudad. El diseño de la iglesia es sencillo, contrastando deliberadamente con la tradición católica. El mobiliario más elaborado son los bancos, ya que las familias acaudaladas solían financiarlos para disponer de una sección separada del pueblo. El gran órgano decorado sobre la puerta oeste se añadió más de 50 años después de que se completara la iglesia, levantando una acalorada polémica sobre si era apropiado tener acompañamiento musical. Este órgano es el único elemento lujoso de la iglesia, apoyado sobre columnas de mármol con la ayuda de uno o dos querubines. La decoración es más abundante en los postigos y representa escenas del Antiguo Testamento.

El personaje más ilustre de los enterrados en Westerkerk se encuentra tan bien escondido que se desconoce su paradero exacto: Rembrandt fue enterrado en una tumba alquilada, y 20 años después sus restos se trasladaron para dejar sitio a más sepulturas. Una optimista placa situada en el lado norte de la iglesia afirma: "Aquí yace R. Harmensz Van Ryn, nacido el 15 de julio de 1606, muerto el 4 de octubre de 1669".

La subida a la torre se ve recompensada con unas vistas espectaculares, que se autocalifican como las mejores de la ciudad. En el siglo XVII, además de para la gloria de Dios (y de la ciudad), la torre actuaba como estación de alerta, con vigilancia permanente para detectar incendios o derrumbes de diques.

Subiendo a la torre se descubre una nueva perspectiva de Amsterdam

Su base está construida de ladrillo, aunque después de la primera galería, la estructura es de madera y tiene un recubrimiento de arenisca o plomo que disminuye el peso de la torre. En la cuarta galería se pueden observar las vigas añadidas para absorber las vibraciones de las campanadas horarias de 7 tonos, sin las cuales la torre podría resquebrajarse.

UN DESCANSO

En los alrededores de Westerkerk existen numerosas opciones: **Van Puffelen** (➤ 105) se encuentra justo al sur, aunque sólo abre a mediodía los fines de semana. Subiendo por Prinsengracht está **The Pancake Bakery** (➤ 104), una apuesta segura.

Westerkerk
🔢 198 C5
📧 Prinsengracht 281
☎ 020 624 7766; www.westerkerk.nl
🕐 Los horarios son irregulares. Horario oficial: iglesia, abr–oct: lu–vi 11.00–15.00; jul–ago: sá 11.00–15.00. Durante todo el año, los domingos se oficia misa en holandés a las 10.30. Rutas por la torre todos los días 10.00–17.30, cada media hora.
🚋 13, 14, 17
♿ Iglesia: gratuita; torre: moderado

WESTERKERK: INFORMACIÓN ESPECÍFICA

Sugerencias La subida a la torre no es complicada para personas en forma, aunque **en las secciones más empinadas del final hay que prestar especial cuidado.**

Curiosidades Justo al norte de la entrada principal se encuentra un dintel con cuatro querubines y dos calaveras.

Anne Frank Huis

Es difícil imaginar una ubicación más bella: la Casa de Ana Frank pertenecía a un mercader y fue construida en 1635. Se cobija a la sombra de Westerkerk, en uno de los canales más bonitos de Amsterdam. Sin embargo, un santuario, una prisión y un lugar de devoción se ocultan tras el elegante exterior. La casa de Prinsengracht, 263, es todo un mausoleo en honor a las víctimas de la II Guerra Mundial, y particularmente de una adolescente cuyas palabras han pervivido hasta el siglo XXI.

Abajo: el diario de Ana se encontró tirado en el suelo tras el arresto de la familia

Izquierda: Ana Frank (1929-1945), una vida trágicamente corta

Durante 25 meses, la familia Frank y la familia Van Pels vivieron atemorizadas en el anexo de Prinsengracht, 263. Cuando la guerra se acercaba a su fin, fueron descubiertos y deportados. El único superviviente fue Otto Frank, padre de Ana y Margot; todos los demás murieron en los campos de concentración nazis. Cuando Otto volvió a la casa, una de las personas que les habían ayudado a ocultarse le devolvió el

diario de Ana, que posteriormente se publicó consiguiendo una amplia acogida.

La casa en la que se ocultaron permaneció cerrada durante años, hasta que a finales de la década de 1950 se diseñó un plan para demolerla que llevó a un número de ilustres ciudadanos a fundar la Casa de Ana Frank. Su objetivo principal es la conservación del anexo, aunque la organización está comprometida también, cada vez más, con la educación en prevención del racismo.

La historia de Ana Frank se deja al descubierto conforme se atraviesan una serie de habitaciones recomendadas en la ruta. No hay guías, por lo que existe libertad de movimientos. Después de entrar a través del moderno edificio situado en Prinsengracht, 267, se accede a una sala audiovisual que contextualiza la historia acaecida en el número 265.

Otto Frank y su familia huyeron de Francfort, en Alemania, cuando Hitler llegó al poder en 1933 y establecieron dos negocios en Amsterdam: Opekta, en la que se utilizaba la pectina para espesar la mermelada, y una compañía de especias llamada Pectagon. Era necesario almacenar las hierbas y especias en la oscuridad, lo que ofreció una excusa ideal para tapar las ventanas del anexo en la parte trasera de la casa.

**Arriba:
Prinsengracht,
263, en 1940**

**Más arriba:
la casa en
la actualidad,
convertida
en museo**

En mayo de 1940 los nazis invadieron Holanda y paulatinamente fueron despojando a la comunidad judía de sus derechos. Otto Frank, su mujer Edith y sus hijas, Ana y Margot (tres años mayor), pasaron a la clandestinidad el 6 de julio de 1942, después de que enviaran a Margot a un *campo de trabajo* en Alemania, eufemismo que significaba la deportación forzosa a los campos de concentración. En la **primera planta** se presenta un vídeo en el que Miep Gies, una de las personas que ayudó a la familia, explica cómo les ocultaron en la parte trasera de la casa. A ellos se unió uno de los socios comerciales de Otto, Hermann van Pels, su esposa Auguste y su hijo Peter. En noviembre llegó una octava persona: Fritz Pfeffer, que había huido de Alemania con su prometida, de origen no judío.

Cuatro personas les ayudaron a ocultarse: una de ellas fue Victor Kugler, el encargado de la empresa, quien ayudó a Otto Frank en la gestión del negocio.

En la misma planta se sitúa la oficina que compartían las otras tres personas: Johannes Kleiman, Miep Gies y Bep Voskuijl. Los sábados por la tarde ésta servía de baño improvisado para las hermanas Frank. "Nos aseamos a oscuras", escribió Ana, "mientras una está en la tina, la otra espía por la ventana, entre las cortinas cerradas". A continuación está el almacén, desde el cual se entraba al **anexo** a través de una estantería móvil. Aquí, en dos plantas se amontonaban ocho personas, que tenían que vivir en silencio para evitar que los empleados les oyesen.

Cada semana, Victor Kugler le compraba a Ana la revista *Cine y teatro*, de la que ella recortaba las fotos de sus ídolos y las pegaba en las paredes. Ana escribió en su diario desde el 12 de junio de 1942, fecha en la que cumplió 13 años, semanas antes de que pasaran a la clandestinidad. Sus primeras palabras fueron: "Espero poder confiártelo todo como aún no lo he podido hacer con nadie" y las últimas, el 1 de agosto de 1944, cuando escribió: "Dentro de mí oigo un sollozo".

En una **sala de exposición** desnuda se explica el destino de cada una de las ocho personas ocultas. El 4 de agosto de 1944, la policía alemana recibió un soplo sobre el escondite, arrestó a todos y los condujo al campo de tránsito de Westerbork. También arrestaron a Johannes Kleiman y Victor Kugler, liberados posteriormente, y los prisioneros fueron enviados desde Westerbork hasta Auschwitz. Hermann van Pels fue exterminado en las cámaras de gas poco después de su llegada. A su mujer e hijo les trasladaron de campo en campo hasta que, seis meses más tarde, murieron con pocos días de diferencia

Arriba: la habitación de Ana

Más arriba: la librería que ocultaba la entrada al lugar secreto debido a las enfermedades y el hambre. Ésta también fue la causa de la muerte de Fritz Pfeffer. Otto y Edith escaparon a las cámaras de gas, pero Edith falleció en enero de 1945 por enfermedad y malnutrición. Ana y Margot terminaron en el campo de concentración de Bergen-Belsen. Ambas murieron por una epidemia de tifus en marzo, un mes antes de que terminase la guerra en Europa.

Tras la guerra, Otto Frank decidió hacer realidad el deseo de Ana de que se publicase su diario. El original se exhibe en la última planta de la casa. La primera aparición del libro fue en holandés, en 1947, y desde entonces ha llegado a publicarse en 65 idiomas.

UN DESCANSO

Hay un café agradable en el lado sur, con vistas a Westerkerk.

Anne Frank Huis

Abajo: el ático donde Ana y su familia se ocultaron durante más de dos años

➕ 196 C1
✉ Prinsengracht 263 (entrance at 267)
☎ 020 556 7105; www.annefrank.nl
🕐 Med mar–med sep: todos los días 9.00–21.00; resto del año 9.00–19.00; jul-ago: sá abierto hasta 22.00. Cerrado el Día del Perdón
🚋 13, 14, 17 💶 Moderado

ANNE FRANK HUIS: INFORMACIÓN ESPECÍFICA

Sugerencias En verano se recomienda ir tarde para evitar aglomeraciones.
• En caso de querer visitarla en periodos concurridos, se recomienda reservar entrada en www.annefrank.nl; de este modo se evitan las colas de la taquilla y se entra a través de una puerta separada señalizada como *online tickets*.
• La mayoría de visitantes **encuentran la experiencia muy conmovedora,** y algunos, especialmente los niños, se sienten muy afectados. Se aconseja tomarse un tiempo para reflexionar sobre lo visto y oído antes de la próxima visita.

Otras opciones

2 Leidseplein y el American Hotel

El American Hotel es la principal atracción de Leidseplein, ya que se trata de una imaginativa reinterpretación estilo *art nouveau* de un palacio señorial escocés. Sus exteriores, favorecidos por la dorada luz de las mañanas, merecen una buena inspección de cerca, así como sus interiores, también interesantes.

Empezando por la esquina noreste, en un lado sus elementos decorativos simulan cigüeñas, y en el otro, ardillas. Un estilizado rayo de sol da vida al hastial. Delante de la fachada principal del hotel, en el lado sureste, se extiende una fuente con peces, aunque lo más interesante podría encontrarse a la izquierda de la entrada del café (sobre el Bar Américain; ➤ 101): un relieve en el que el propio hotel aparece representado. En la esquina sur se localiza la imagen de Venus vigilada por un par de lechuzas, una pareja de serpientes y un murciélago con mirada amenazante, todo plasmado en azulejos. Las palabras American Hotel se configuran en un mosaico

Leidseplein cobra vida por las noches

con apariencia de bordado. El resto de la plaza, con su forma irregular, también tiene su encanto. La parte neoclásica del Hirsch & Cie, en el borde sur, alberga, como muchos de

los edificios de Amsterdam en la actualidad, un banco. En **Marnixstraat,** flanqueando por el noreste el American Hotel, se encuentra una bonita curva de casas, la mayoría convertidas en hoteles.

En la **AUB Ticketshop** (► 47), construida dentro del Stadsschouwberg, se pueden encontrar verdaderas gangas para espectáculos en el mismo día.

No obstante, la mayoría de la gente que se concentra en Leidseplein tiene unas inquietudes algo más prosaicas, tal y como simboliza la divertida vista del *grand café* de enfrente: dos espumosos vasos de Heineken de 5 m de altura.

El fascinante Theatermuseum

🖪 Theatermuseum

Incluso los que no sean amantes del drama se verán cautivados por el Theatermuseum, ubicado en una de las mansiones del siglo XVII más bonitas de Amsterdam. Fue construido en 1638 sobre una antigua panificadora y desde entonces mantiene su esplendor, con nuevos retoques a lo largo de los años, como los elegantes pasillos de mármol. La entrada al museo se encuentra junto a la **Casa Bartolotti,** una creación del siglo XVII todavía más espléndida.

El jardín exterior es una de las joyas ocultas de Amsterdam, sumiendo en un estado de tranquilidad las bulliciosas calles de la ciudad. El canto de los pájaros llena el vacío entre las casas de canal que miran a Keizersgracht, mientras que al otro lado de la verja, el jardín de la Casa Bartolotti está habitado por elegantes estatuas.

La mayoría de lo expuesto en este museo forma parte de exposiciones temporales.

🔶 198 C5 ⊠ Herengracht 168 ☎ 020 551 3300; www.tin.nl 🕐 Lu-vi 11.00–17.00, sá–do 13.00–17.00 🍴 Café con terraza exterior (€) 🚊 13, 14, 17 💶 Económico; entrada gratuita con la tarjeta Museumjaarkaart (excepto exposiciones especiales)

🖪 Homomonument

Este monumento, cerca de Westerkerk, fue levantado en honor a los hombres y las mujeres perseguidos por su homosexualidad. La losa triangular de granito rosa, junto a Keizersgracht, se basa en el triángulo rosa que los gays se vieron obligados a llevar como símbolo durante la ocupación alemana. Ahora es una especie de santuario, en el que a veces se ve a gente dejando flores.

🔶 198 C5 ⊠ Esquina entre Westermarkt y Keizersgracht 💶 Libre acceso 🚊 13, 14, 17

🖪 Amsterdam Tulip Museum

El sótano de esta casa, a orillas de los canales, se ha convertido en un pequeño pero encantador museo de una sola sala dedicado a la flor más famosa de Holanda. Una línea cronológica detalla el inicio del prestigio de los tulipanes en el arte del Imperio Otomano, hasta la *tulipomanía:* en el siglo XVII, los bulbos más preciados podían alcanzar sumas que superaban el precio de una casa. También hay un vídeo explicativo sobre las técnicas

modernas de cultivo. En la tienda de la planta superior venden bolsas de bulbos, además de todo tipo de objetos decorados con tulipanes: azulejos, bandejas, tazas, platos e incluso pendientes.

➕ 196 C2 ✉ Prinsengracht 112
☎ 020 421 0095;
www.amsterdamtulipdepot.eu
🕐 Todos los días 10.00–18.00
💷 Económico 🚊 13, 14, 17

❾ Westergasfabriek y Westerpark

Las zonaa occidentales de la ciudad, particularmente el norte de Haarlemmerweg, han sido ignoradas durante bastante tiempo, lo que ayuda a explicar el motivo de que las islas Occidentales se conserven en tan buen estado. Este triángulo de tierra, encerrado entre un canal y una línea de ferrocarril, está ocupado por un parque y una antigua fábrica de gas que ahora funciona como sala nocturna y de arte vanguardista (► 108). La Westergasfabriek está compuesta por un grupo de edificios situados en el lado norte del canal Haarlemmervaart que fueron sometidos a una remodelación total en 2003.

En su ala este, la Westergasfabriek se funde con el Westerpark, uno de los parques más pequeños y agradables de la ciudad, decorado con esculturas.

Un descanso en Westerpark

➕ 196 A4 y 196 B4
☎ 020 586 0710;
www.westergasfabriek.nl
🚊 La línea 10 termina en Van Hallstraat, desde aquí se va hacia el norte por Haarlemmerweg y se cruza el canal hacia la Westergasfabriek (puertas abiertas 8.00–23.30). El tranvía 3 llega hasta Haarlemmerplein, en el límite este del Westerpark
💷 Gratuito

Dónde...
comer y beber

Precios

Precio aproximado de una comida, bebidas excluidas:

€ menos de 20 €   €€ 20-40 €   €€€ más de 40 €

CAFÉS

De Admiraal €-€€

Este *proeflokaal* (▶ 27), situado en un viejo almacén, cuenta con 20 tipos de *jenever* y 60 licores (algunos con nombres tan curiosos como Felicidad eterna o Subida de faldas), producidos en su propia destilería. Su gran barra está decorada con viejas barricas de roble, botellas de piedra gigantes llenas de licores y calderas de destilado de cobre. A diferencia de los demás bares de degustación, sirven aperitivos sabrosos, como arenques o anguilas ahumadas, además de comidas completas en cómodas mesas.

➕ 199 E3 ⊠ Herengracht 319
☎ 020 625 4334; www.de-ooievaar.nl
🕐 Lu-sá 16.00–24.00

Café Américain €-€€€

El interior de este histórico café, parte del American Hotel (▶ 98), de estilo *art nouveau*, ha sido declarado monumento oficial. Decorado con preciosos motivos de cristal sobre arcos de piedra y maravillosos candelabros, desde sus enormes ventanales se ve el cambiante escenario de Leidseplein. Su oferta incluye aperitivos, auténticas comidas para calmar cualquier apetito culinario y exquisitos tés con pasteles y sándwiches, aunque también se puede disfrutar del ambiente con un simple café o una cerveza. El aperitivo de los domingos está acompañado por música jazz.

➕ 198 B3 ⊠ Leidsekade 97
☎ 020 556 3107;
www.amsterdamamerican.com
🕐 Todos los días 7.00–23.30

Café Chris €

Una buena elección si se busca un *bruin café* tradicional en el Jordaan con pocos turistas (no está a orillas de los canales). Proclama, con razón, ser uno de los mejores cafés antiguos de Amsterdam. Empezó su actividad en 1624, cuando los trabajadores de la aledaña Westerkerk recibían aquí (y probablemente gastaban también) sus jornales. Entre sus rasgos más peculiares están una bicicleta colgada de un torno y un baño con cisterna dentro de la barra.

➕ 198 B5 ⊠ Bloemstraat 42
☎ 020 624 5942; www.cafechris.nl
🕐 Lu-ju 15.00–1.00, vi-sá
15.00–2.00, do 15.00–21.00

Café Dulac €-€€

Este café, situado en un antiguo banco de la década de 1920, es un peculiar *grand café* con rasgos *kitsch* posmodernos, como campanas y maquetas de barcos colgando del techo, gárgolas y mujeres desnudas asomando por las paredes y una mesa de billar de pino. Su ambiente es joven y algunas noches pinchan DJs. La comida es buena e incluye ensaladas, carne, pasta y tartas.

➕ 197 E3 ⊠ Haarlemmerstraat 118
☎ 020 624 4265 🕐 Do-ju
12.00–1.00, vi, sá hasta 3.00

Café Papeneiland €

El minúsculo Isla del Papa, es uno de los *bruine cafés* más antiguos de Amsterdam. A principios del siglo XVII, su propietario, un fabricante de ataúdes, vendía cerveza como actividad complementaria.

El café emana personalidad por todos los poros, con paneles de madera y antiguos azulejos de Delft decorando las paredes, jarras colgando de las vigas, un gran calentador antiguo y huevos duros y tarta de manzana exhibidos en las vitrinas. A pesar de su excepcional situación, junto a Noordermarkt en el cruce con Brouwersgracht, su clientela es mayoritariamente local.

🚇 197 D3 ⊠ Prinsengracht 2 ☎ 020 624 1989 ⏰ Lu–ju 10.00–1.00, vi, sá hasta 2.00, do 12.00–1.00

Café de Prins €-€€

Un *bruin eetcafé* (es decir, el típico bar tradicional con mesas de madera desnudas y paredes medio paneladas) que acoge normalmente una gran clientela de jóvenes bebiendo o gente cenando. Sus principales ventajas son su buena ubicación junto a los canales, al lado de la Anne Frank Huis, y su sabrosa comida franco-holandesa. Se recomienda la *fondue* de queso, las deliciosas *quiches* rellenas del día

o, para almorzar, el excelente *uitsmijter* (huevos fritos con pan).

🚇 196 C2 ⊠ Prinsengracht 124 ☎ 020 624 9382; www.deprins.nl ⏰ Todos los días 10.00–1.00

Café 't Smalle €

Este edificio puede resultar más pintoresco que muchos *bruine cafés*. Con velas alumbrando la barra, paneles de madera en las paredes y cristales de colores de finales del siglo XVIII, el café suele estar lleno, aunque conserva un aire agradable, con *jenevers* poco comunes y una buena gama de aperitivos, entre ellos la tarta de manzana. Su situación junto a los canales es perfecta, con terraza en la orilla.

🚇 196 C2 ⊠ Egelantiersgracht 12 ☎ 020 623 9617; www.t-smalle.nl ⏰ Do–ju 10.00–1.00, vi, sá hasta 2.00

De Doffer €-€€

Este espacioso *bruin eetcafé*, que cuenta con una segunda barra en la puerta de al lado, consigue la nota exacta (y no sólo con la música jazz que suele sonar de fondo). Tiene los suelos de madera, paredes paneladas y mesas a la luz de las velas, y la comida (en el menú es probable encontrar sopa de champiñones silvestres y ensalada de pechuga de paloma) supera la media. El ambiente es algo más elegante que el de su competencia.

🚇 198 C4 ⊠ Runstraat 12–14 ☎ 020 622 6686; www.doffer.com ⏰ Do–ju 12.00–3.00, vi hasta 4.00, sá 11.00–4.00

Metz & Co €

Este brillante y fresco restaurante, situado en la sexta planta de los grandes almacenes del mismo nombre (▲ 106), ofrece unas vistas excelentes de los tejados de toda la ciudad. El servicio y la comida –sopas, platos a base de huevos, sándwiches o meriendas– no reciben demasiados aplausos.

🚇 198 C3 ⊠ Keizersgracht 455 ☎ 020 520 7048 ⏰ lu–sá 9.30–18.00, do 12.00–17.00, lu 11.00–18.00

Spanjer & Van Twist €-€€

A orillas de los canales se situa este moderno *eetcafé* de cuidada cocina. La mayoría de los ingredientes son ecológicos, y entre sus almuerzos se incluyen deliciosas tortillas y sándwiches como el de salmón, *mozzarella* y pesto. Las cenas incluyen platos más sustanciosos como estofado de pescado o estofado de liebre con puré de nabo. El café es un lugar íntimo a dos niveles con una llamativa barra bordeada de cristales de estilo Mondrian. El servicio es amable, tranquilo y profesional.

🚇 197 D1 ⊠ Leliegracht 60 ☎ 020 639 0109; www.spanjerenvantwist.nl ⏰ Todos los días 10.00–1.00

De Tuin €

El Jardín es uno de los pequeños *bruine cafés* clasicos del Jordaan. No tiene nada especialmente interesante, pero sí todo lo necesario para resultar acogedor: una vieja y gastada barra, velas sobre las mesas de madera, paredes recubiertas de paneles amarillentos y viejos carteles publicitarios de cervezas holandesas.

Es bastante popular entre los círculos de jóvenes liberales del vecindario (la mayor parte del tiempo suena música rock reivindicativa), aunque siempre acogen bien a los forasteros

🚊 196 C2 🏠 2e Tuindwarsstraat 13 ☎ 020 624 4559 🕐 Lu–ju 10.00–1.00, vi, sá hasta 2.00, do 11.00–1.00

Walem Café €–€€

Uno de los bares de diseño más antiguos, decorado con espejos y plantas. La razón de su popularidad es la excelente comida elaborada en su cocina abierta. Para almorzar se puede tomar una simple *croque madame* (sandwich caliente con un huevo frito arriba), y para cenar se puede probar el conejo en su jugo con chucrut al *riesling*. Tiene un jardín en la parte trasera del edificio y cuando hace buen tiempo colocan mesas junto al canal.

🚊 198 C3 🏠 Keizersgracht 449 ☎ 020 625 3544; www.cafewalem.nl 🕐 Do–ju 10.00–1.00, vi, sá hasta 2.00

RESTAURANTES

De Belhamel €€

Un restaurante íntimo y romántico con vistas al adorable Brouwersgracht y justo frente a la Herengracht. Tanto el salón como la barra están decorados con verdaderos elementos *art nouveau*. La comida francesa es especialmente buena: la cena puede empezar con *mousse* de langostinos, seguida de lengua de ternera y terminar con una *tarte tatin* de pera.

🚊 197 E3 🏠 Brouwersgracht 60 ☎ 020 622 1095; www.belhamel.nl 🕐 Todos los días 18.00–22.00

Bordewijk €€–€€€

Uno de los restaurantes más de moda de la ciudad (requiere reserva para cualquier noche). Desde los amplios ventanales de un sobrio salón se vislumbra Noordermarkt. El menú está a caballo entre la cocina italiana y la francesa, con platos como *foie gras* asado hasta ravioli de alcachofas, langostinos holandeses y cebolleta. El carrito del queso es un punto destacado de la comida. Los menús diarios tienen una excelente calidad-precio y el ambiente es más relajado que en otros restaurantes de lujo.

🚊 197 D3 🏠 Noordermarkt 7 ☎ 020 624 3899 🕐 Ma–do 18.30–22.30

Café-Restaurant Amsterdam €€

Merece la pena el trayecto de 10 minutos en tranvía desde Leidseplein (hasta la última parada del tranvía 10) sólo para observar las dimensiones de este restaurante. Situado en el reluciente *hall* de una antigua estación de bombeo del siglo XIX, su interior podría albergar una docena de casas. La comida, principalmente francesa, es de estilo *brasserie*: caracoles, *boudin noir*, carne con patatas al estilo holandés servidas con mayonesa, todo preparado de manera sencilla y con escogidos precios. Conviene reservar o prepararse para esperar un buen rato sólo por una mesa en la zona del café.

🚊 Fuera del plano 196 A4 🏠 Watertorenplein 6 ☎ 020 682 2666; www.cradam.nl 🕐 Todos los días 10.30–24.00

Café de Reiger €€

Este *eetcafé* del Jordaan ofrece buena y sencilla comida francesa, italiana y holandesa. El menú ofrece filetes (gruesos y con una buena ración de patatas y mayonesa) y pasta. Los platos del día, anotados en pizarras, son más interesantes. Se recomienda probar el *soufflé* de queso de cabra o el *risotto* con pierna de cordero. No aceptan reservas (ni tarjetas de crédito). Se recomienda llegar pronto.

🚊 196 C2 🏠 Nieuwe Leliestraat 34 ☎ 020 624 7426 🕐 Do–ma 17.00–24.00, mi–vi 17.00–1.00, sá 15.00–1.00

Chez Georges €€–€€€

Para acudir a este restaurante, íntimo pero informal, es necesario reservar con bastante antelación. La cocina del belga Georges Roorda es francesa, particularmente de la región de Borgoña. Se recomienda el menú gastronómico de siete platos, con una relación calidad-precio excelente, sobre todo comparada con su cara carta de vinos.

🚩 197 D2 ☒ Herenstraat 3
☏ 020 626 3332 ⏰ Lu–ma, ju–sá 18.00–23.00

Christophe €€€

En 2006, Christophe Royer vendió este elegante y sofisticado establecimiento a dos de sus empleados: Ellen Mansfield y Jean-Joel Bonsens. Aunque el restaurante perdió su estrella Michelin, sigue siendo considerado como uno de los mejores (y más caros) lugares de Amsterdam para una comida formal. Ellen es la *sommelier* y el francés Jean-Joel, el nuevo *chef* y creador de platos como las ancas de rana con acedera, ajo y almendras y la *crème brûlée* con pimiento verde y estragón.

🚩 197 D1 ☒ Leliegracht 46
☏ 020 625 0807;
www.restaurantchristophe.nl
⏰ Ma–sá 18.30–22.30

Envy €€–€€€

Este restaurante a orillas de los canales, de estilo minimalista y ultramoderno, sirve platos creativos italianos de tamaño degustación y fantásticos quesos y carnes. Se puede comer de forma privada o conjunta, sentados en taburetes en mesas altas y alargadas. Antes o después de la comida, se recomienda disfrutar de una copa o dos de vino en Vyne, la nueva bodega gemela del Envy, e igual de moderna, situada a un par de portales.

🚩 198 C5 ☒ Prinsengracht 381
☏ 020 344 6407; www.envy.nl ⏰ Lu–ma 18.00–1.00, mi–ju 12.00–16.00, 18.00–1.00, vi–sá 12.00–16.00, 18.00–3.00, do 12.00–16.00, 18.00–1.00

Grekas Greek Deli €

Este excelente lugar de comida griega para llevar se ha convertido en los últimos años en una taberna junto a los canales. La iluminación es demasiado brillante y las mesas se sitúan demasiado juntas como para disfrutar de una comida relajada, pero la música es tan auténtica como la comida. En lugar de pasar a elegir la comida, simplemente se va a la vitrina refrigerada. Pueden tomarse como plato único los entrantes *mezedes*, como *kolokizakia* (croquetas de calabacín) o *melizanosalata* (ensalada de berenjena), aunque también es difícil dejar pasar el delicioso pollo al limón o la *moussaka* vegetariana.

🚩 199 D4 ☒ Singel 311 ☏ 020 620 3590 ⏰ Mi–do 13.00–22.00. La cocina cierra a 20.45

The Pancake Bakery €€

Éxito asegurado con los niños: más de 75 variedades de *crêpes* dulces y saladas, además de tortillas. Situado entre los suelos de piedra y las paredes de ladrillo visto del sótano de una antigua casa de canal, sus rellenos abarcan desde cordero y pimiento hasta cerezas y nata montada. En cada mesa hay botes de mermelada, caramelo líquido y azúcar glasé. Los *crêpes*, aunque más caros de lo normal, son enormes.

🚩 197 D2 ☒ Prinsengracht 191
☏ 020 625 1333; www.pancake.nl
⏰ Todos los días 12.00–21.30

D'Theeboom €€–€€€

Este elegante restaurante, cuyo nombre significa El Árbol del Té, se sitúa junto al canal Singel, en un almacén de quesos reformado. Su propietario francés, Georges Thubert, ha creado un ambiente más bien griego o portugués, con paredes decoradas con árboles de cerámica y colores cálidos en verde y azul. La carta refleja su gusto por los buenos ingredientes preparados de manera sencilla. Las *coquilles St. Jacques*, el rape y el filete de lenguado son excelentes. Sólo tienen vinos franceses. Con buen tiempo, se recomienda cenar en la terraza.

🖸 199 D5 🖂 Singel 210 ☎ 020 623 8420; www.theeboom.com ⏰ Lu–sá 18.00–22.00

Van Puffelen €€

La peculiaridad de este agradable establecimiento junto a los canales es ser al mismo tiempo un *bruin café* clásico y un restaurante digno del nombre. Unas pesadas cortinas de terciopelo dan paso a un amplio salón de paredes estéticamente paneladas, dándole un aire agradable y romántico. La base del menú es principalmente francesa, aunque hace incursiones multiétnicas en platos como el *carpaccio* de ternera con salsa de alcachofas, parmesano y *pesto rosso*. Prima el individualismo, excluyendo todo tipo de comercialismo empresarial. En lugar de ir directamente a alguna tienda concreta, se recomienda pasear mirando los escaparates, y asomarse a los mercados cubiertos del Jordaan. Muchas tiendas de esta zona no abren los lunes.

🖸 198 C5 🖂 Prinsengracht 377 ☎ 020 624 6270; www.goodfoodgroup.nl 🖸 Lu–ju 15.00–1.00, vi 15.00–2.30, sá 12.00–2.30, do 12.00–1.00

Dónde...
comprar

El anillo occidental de canales y el distrito del Jordaan condensan los mejores lugares para ir de compras en Amsterdam. Existen muchas tiendas de objetos exclusivos junto a los canales y en las estrechas calles que los unen, además de galerías de arte y tiendas de flores y antigüedades.

9 Straatjes

Las 9 Calles son las tres vías radiales peatonales que cruzan los canales entre Singel y Prinsengracht, y Leidsegracht y Raadhuisstraat. Sus modestas casas, ocupadas en su día por los sirvientes que trabajaban en las casas a orillas de los canales, esconden ahora los tesoros de fantásticas tiendas, aunque a veces algo excéntricas.

En un trayecto de norte a sur, en el nº 7 de Gasthuismolensteeg se encuentra **Brillenwinkel**, cuya planta baja es el lugar ideal para comprar binoculares y anteojos extravagantes, mientras que las plantas superiores están dedicadas al **Brilmuseum**, donde se pueden admirar lentes estilo Quevedo o gafas protectoras del siglo XIX. Tanto la tienda como el museo sólo abren mi–vi 12.30–17.30, sá 12.00–17.00. Cruzando la calle, en el nº 16, **Antonia by Yvette** se especializa en zapatos originales. En Hartenstraat nº 28 está **BLGK**, una joyería mucho más original y creativa que cualquier fábrica de diamantes de la ciudad.

Siguiendo por Reestraat, en el nº 5 se sitúa **Fifties-Sixties,** con todo tipo de objetos de la década de 1930 hasta la de 1970. **E Kramer** (nº 18–20) está especializada en velas y dedicada al mundo espiritual.

En Wolvenstraat, **Laura Dols** (nº 7) es el lugar ideal si se busca ropa de las décadas de 1940–1950, mientras que **Kerkhof Passementen** (nº 9–11) dispone de una de las mayores selecciones de Holanda, si no de Europa, de complementos decorativos. **De Beeldenwinkel** (nº 35), situada en Berenstraat, exhibe preciosas esculturas modernas realizadas por artistas locales.

Para hacer un descanso se puede ir a **Pompadour**, en Huidenstraat, 12, donde sirven deliciosos bombones y tartas en un diminuto salón de té estilo Luis XVI.

Runstraat está llena de panaderías y tiendas de quesos que no tienen nada que envidiar a cualquier *boulangerie o fromagerie* de París. **De Kaaskamer** (nº7), el Salón del Queso, ofrece cientos de variedades.

Puede que el personal le ofrezca degustar algún queso antes de comprarlo. El Old Amsterdam, un queso *gouda* curado muy fuerte y con bastantes agujeros, es una especialidad holandesa. A continuación, en el nº 5, está **De Witte TandenWinkel**, La Tienda de los Dientes Blancos, que lleva 20 años vendiendo cepillos de dientes y complementos dentales.

Jordaan

Las diminutas calles que cruzan el Jordaan, al sur de Westerkerk, tan largas de pronunciar como de atravesar, están llenas de tiendas curiosas ideales para rebuscar discos de segunda mano, láminas de películas y ropa interesante.

Rozengracht es la calle con menos encanto de la zona, aunque en ella se sitúan **Wegewijs** (nº 32), otra de las mejores tiendas de queso de la ciudad fundada en 1884, y **Coppenhagen** (nº 54), una tienda de abalorios llena de cuentas ordenadas por colores.

Al sur de Hazensgracht, **Olivaria** (nº 2A) vende una gran variedad de aceites de oliva embotellados, incluyendo muchos ecológicos. Para los amantes de los gatos, algo más adelante, en el nº 26, se localiza **Cats & Things**, especializada en regalos de temática felina como cubreteteras, cartas y gatitos de juguete.

Prinsengracht y Haarlemmerstraat

Entre las tiendas que se engloban en el maravilloso tramo de Prinsengracht que rodea el Jordaan hay desde elegantes emporios de antigüedades hasta tiendas de regalos dedicadas a los cómics y las velas. Subiendo hacia el sur desde Noordermarkt, en el lado occidental del canal, se recomienda parar en **Rinascimento Galleria d'Arte** (nº 170), provista de objetos de cerámica de Delft, tanto antiguos como nuevos, incluyendo platos, figuras y azulejos pintados a mano. Siguiendo adelante, **Simon Levelt**

(nº 180) desprende espléndidos olores, ya que lleva desde 1839 vendiendo té y café; aquí también se pueden adquirir bombones con la forma de las históricas balizas de Amsterdam. **Nieuws** (nº 297) es una divertida y novedosa tienda de regalos: ropa interior comestible, una silla en forma de mano o un reloj que mide el tiempo al revés. Unos cuantos tonos más arriba en cuanto a sofisticación, **Van Hier tot Tokio** (nº 262) se especializa en antigüedades japonesas de gran cotización, como vitrinas bellamente trabajadas de las décadas de 1920-1930.

Una buena opción es adentrarse al norte de Brouwersgracht para pasear por Haarlemmerstraat, donde existen varias tiendas de *delicatessen* y misteriosas galerías de arte entre los *coffee shops*.

Leidsestraat y alrededores

La constante corriente de tranvías y ciclistas entorpece ir de compras por Leidsestraat. No obstante,

Metz & Co (▶ 102), situada en Keizersgracht, merece una visita o una taza de té. Estos grandes almacenes pequeños y exclusivos agrupan ropa de firma y artículos de cocina en el que era el edificio más alto de la ciudad cuando fue construido en 1891. **Friends of Art**, al otro lado de Keizersgracht, en el nº 510, dispone de una sorprendente colección de fotografías. En **Heiden**, una preciosa casa justo saliendo de Leidsestraat, en Prinsengracht 440, se vende porcelana de Delft moderna y alfarería de alta calidad pintada al estilo Delft.

MERCADOS

Noordermarkt (lu 8.00-13.00) es un mercado al aire libre en el que venden ropa, discos y libros, junto con objetos curiosos: desde banderas y herramientas oxidadas hasta estatuas clásicas. Aunque no es tan grande y variado como el de Waterlooplein (▶ 77), es más pintoresco, con un fondo de casas con hastiales y Prinsengracht.

Los sábados de 9.00 a 15.00 **Boerenmarkt** toma la plaza con su especialidad en comida ecológica, incluyendo champiñones silvestres, quesos, pan y alimentos integrales. El café Winkel, en la esquina de Noordermarkt, 43, es el lugar idóneo para tomar un trozo de su tarta de manzana con canela.

Lapjesmarkt (lu 8.00-13.00), saliendo de Noordermarkt por Westerstraat, es un amplio y bullicioso mercado local dedicado a la venta de telas y ropa barata.

De Looier Kunst en Antiekcentrum (Elandsgracht 109, www.looier.nl; abierto sa-ju 11.00–17.00) es un centro de antigüedades y curiosidades, en cuyas vitrinas se exponen artículos como porcelana, cristalería, telescopios y coches de juguete. Engloba también el mercado de mesas, en el que la gente alquila mesas para vender sus propias antigüedades y curiosidades.

Dónde... divertirse

La plaza Leidseplein y las calles de los alrededores conforman el epicentro para cualquier tipo de ocio nocturno, con una gran variedad de restaurantes, cafés, discotecas, cines y teatros. Si se quiere pasar una noche más tranquila, lo ideal es un paseo por el Jordaan, recorriendo Prinsengracht, admirando las luces de colores que perfilan los puentes y parando en uno o dos *bruine cafés*. Al norte del Jordaan se alza el centro cultural más interesante de la ciudad, la Westergasfabriek, la antigua fábrica de gas de Amsterdam.

Leidseplein y alrededores

Leidseplein puede no ser bonita, y de hecho no es el lugar idóneo para tomar una copa tranquilamente, sin embargo, su vitalidad puede ser estimulante. En verano, sus mesas y sillas cubren la mitad de la plaza, animada por artistas callejeros.

El **Café Américain** (▶ 101) es perfecto para sentarse a un lado y observar a la gente. El *bruin café* más tradicional de la plaza es **Reynders** (Leidseplein, 6) y entre los lugares cercanos interesantes destacan **Schaakcafé Het Hok** (Lange Leidsedwarsstraat, 134), un *café de ajedrez* igualmente popular por sus *backgammon* y juegos de cartas, y **Lux** (Marnixstraat, 403), un moderno bar nocturno decorado con enormes fotos de mujeres desnudas y con un DJ pinchando la mayoría de las noches.

Los bares más pintorescos ofrecen música jazz todas las noches; se puede comprobar qué tocan en **Café Alto** (Korte Leidsedwarsstraat, 115) y **Bourbon Street** (Leidsekruisstraat, 6), cuya entrada es gratis o muy barata.

Si se quiere fumar, la elección más obvia es el gran *coffee shop* comercial **Bulldog** (el complejo incluye bar y tienda de *souvenirs*), situado justo en Leidseplein. No obstante, un lugar mucho más exótico es **De Rokerij** (Lange Leidsedwarsstraat, 41, ▶ 29).

Para otro tipo de diversión, se puede acudir a **Boom Chicago** (Leidseplein, 12; tel: 020 423 01 01; www.boomchicago.nl), donde los expatriados estadounidenses representan comedias improvisadas según las sugerencias del público. El casino de Amsterdam, **Holland Casino** (Max Euweplein, 62; tel: 020 521 1111; www.hollandcasino.nl; todos los días 12.00–3.00) es otra opción. El coste de la entrada no es muy alto (gratuita con la I amsterdam Card), se debe ser mayor de 18 y presentar el pasaporte; no hay protocolo estricto de vestimenta.

Justo al salir de Leidseplein, al noroeste, se encuentra **Melkweg** (Lijnbaansgracht, 234a: tel: 020 531 81 81; www.melkweg.nl), una antigua granja lechera cuyo nombre se traduce como Vía Láctea, y al sureste **Paradiso** (Weteringschans, 6–8; tel: 020 626 4521; www.paradiso.nl), situado en una antigua iglesia. Estos dos lugares polifacéticos fueron centros fundamentales para el amor, la paz y el hachís de la época hippie de Amsterdam en las décadas de 1960-1970.

Melkweg se ha convertido en un centro cultural multimedia que promociona diferentes músicas del mundo en sus salas de conciertos, que se transforman en discotecas los fines de semana. Además, el centro también cuenta con un cine (donde prevalecen géneros como películas de artes marciales y de monstruos), teatro, galería de arte, café y sala chill-out. Sigue reinando la política liberal de dejar hacer lo que apetezca (incluso fumar hachís).

En los fines de semana, Paradiso también se llena de gente atraída por su gran espacio eclesiástico donde suena techno, funk, disco y soul. Aunque es conocido como el templo del pop, también acoge a bandas de rock, grupos de jazz y conciertos de música clásica.

La **Nachttheater Sugar Factory** (Lijnbaansgracht, 238; tel: 020 626 5006; www.sugarfactory.nl), situada frente a Melkweg, es un interesante club alternativo que combina música, teatro y arte.

The Odeon (Singel, 460; tel: 020 521 8555; www.odeontheater.nl), una casa del siglo XVII remodelada situada junto al Singel, arrastra una larga historia como fábrica de cerveza, sala de conciertos, teatro y discoteca gay. Ahora es café de moda, coctelería, restaurante y discoteca en fines de semana.

El Jordaan

Además de los *bruine cafés* tradicionales (▶ 26–27), existen dos cafés/bares en el Jordaan en los que la actividad principal es cantar (además de beber). En el **Café Nol** (Westerstraat, 109; tel: 020 624 5380; www.cafenolamsterdam.nl) suele haber gente cantando música típica holandesa. **Twee Zwaantjes** (Prinsengracht, 114, en Egelantiersgracht; tel: 020 625 2729; www.detweezwaantjes.nl), con un ambiente más íntimo, está normalmente lleno de ciudadanos ebrios acompañando a la música de acordeón en directo. Ambos abren hasta tarde (no comienzan a animarse hasta las 23.00) y durante los fines de semana están más concurridos.

Westergasfabriek

A mediados de la década de 1990, la antigua fábrica de gas de la ciudad, **Westergasfabriek** (Haarlemmerweg, 8-10; tel: 020 586 0710; www.westergasfabriek.nl) comenzó a ser lugar de celebración de fiestas rave ilegales, aunque actualmente el ayuntamiento está financiando el desarrollo de esta enorme zona industrial. Aquí se celebra cualquier tipo de evento a gran escala: conciertos de pop, ópera, bailes equinos, e incluso conferencias. Otros edificios se utilizan como estudios cinematográficos y de teatro, un cine (la **Ketelhuis**, que proyecta principalmente cine holandés), y una discoteca llamada **Pacific Parc** (www.pacificparc.nl), corazón y alma del complejo. Se sitúa en uno de los almacenes y funciona como café, bar y restaurante; todas las noches pinchan DJs y normalmente tocan grupos en directo. Pacific Parc abre todos los días y es la única zona del complejo a la que se puede acudir improvisadamente. Para cualquier otra, conviene comprobar la programación antes de acudir.

Se puede enlazar con el **Café-Restaurant Amsterdam** (▶ 103). El taxi desde el centro de la ciudad cuesta unos 12 €; también se puede coger el tranvía 10, bajar en la última parada y caminar un poco hasta cruzar la plaza del restaurante.

Vincent van Gogh
1853–1890

Barrio de los Museos

Cómo orientarse

En la mayor parte de las ciudades, lo habitual es que las zonas de las afueras sean barrios anónimos. En Amsterdam, sin embargo, no ocurre lo mismo. La ciudad alcanza su clímax artístico en un distrito bastante apartado del centro, al sur de Singelgracht, donde la concentración de museos ha convertido esta zona en un lugar de máximo interés.

La concentración artística de Amsterdam es sorprendente. Cuando en 1885 se construyó el Rijksmuseum para albergar la colección nacional, este lugar marcaba la frontera de la ciudad. Los inicios del museo estuvieron marcados por una espectacular soledad. Sin embargo, una década más tarde se inauguró el Stedelijk Museum de arte moderno, y 83 años después de la muerte de Vincent Van Gogh en 1890, se le honró dedicándole el museo que lleva su nombre.

Todos los museos se agrupan en Museumplein, aunque tanto el Rijksmuseum como el Stedelijk han atravesado un proceso de restauración. El primero aún sigue abierto, pero el segundo se ha transferido temporalmente a un lugar cercano a Centraal Station (➤ 68). Vondelpark, el espacio al aire libre más grande del centro de Amsterdam, rodeado de elegantes casas y salpicado de objetos decorativos eclécticos, ofrece un soplo de aire fresco mientras se admira la cultura.

Página anterior: autorretrato del artista expuesto en el Van Gogh Museum

En los últimos años se han multiplicado las oportunidades de comer bien en el Barrio de los Museos: aquí se encuentran algunos de los mejores cafés y restaurantes de la ciudad.

El imponente edificio del Rijksmuseum

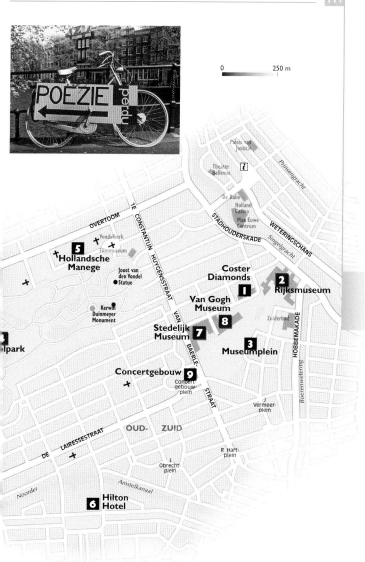

⭐ Imprescindible

Otras opciones

El arte es, por supuesto, el atractivo principal de esta zona. Sin embargo, existen otras muchas alternativas para estar ocupado durante, al menos, un día.

El Barrio de los Museos en un día

9.00

Sea el primero de la cola en el **2 Rijksmuseum** (➤ 114–117). La remodelación del edificio principal no afecta a la visita, ya que se puede visitar su anexo, con una magnífica colección de la Edad de Oro.

11.00

Entre en el nuevo museo de **1 Coster Diamonds** (➤ 128) y considere también hacer una ruta por los talleres.

12.00

Prescinda de los monótonos cafés de los museos y acuda al moderno restaurante Cobra, situado en mitad de **3 Museumplein** (➤ 129), o si hace buen tiempo, opte por un *picnic* en **4 Vondelpark** (derecha, ➤ 118–121).

13.00

Las tiendas de diseño que se alinean en PC Hooftstraat son perfectas para mirar escaparates y posteriormente visitar las opulentas caballerizas del **5 Hollandsche Manege** (izquierda, ➤ 129) o pasear hasta el **6 Hilton Hotel** (➤ 130), escenario de una parte de la historia musical.

14.30

Tome el tranvía hasta Centraal Station; el **7 Stedelijk Museum** (abajo,
►122–123) se encuentra ubicado cerca de aquí temporalmente.

16.00

De vuelta en Museumplein,
comienza a disminuir el
flujo de asistentes al
espléndido **8 Van Gogh
Museum** (izquierda,
►124–127), lo que
convierte esta hora en el
momento perfecto para
sumergirse en las luces
y sombras del genio del
siglo XIX.

18.00

Tras la marea cultural, en Van Baerlestraat se puede encontrar un momento
de relajación y reflexión delante de una cerveza en el Welling (►132) o
acudir a cenar disfrutando de la serenidad mediterránea del Bark (►132).

20.00

Se puede ir a ver alguna representación en **9 Concertgebouw** (►130)
o alguna película en el Nederlands Filmmuseum en
4 Vondelpark (►119–120).

Rijksmuseum

El Rijksmuseum es uno de los mejores museos de Europa.
El mismo edificio refleja a la perfección el peso de la
ambición holandesa del siglo XIX. El edificio principal ha
acometido una profunda remodelación durante la cual se
pueden visitar las espléndidas obras principales en el anexo.

El edificio de ladrillo rojo domina el barrio suroccidental de
Amsterdam, manteniendo un cierto sentido de esplendor
incluso entre edificios más nuevos y altos. El arquitecto, P. J.
H. Cuypers, que también diseñó la Centraal Station, adoptó un
estilo básico románico, sobrio y formal, y le dio vida mediante
florituras góticas. El conjunto resulta inconfundiblemente
holandés, aunque los frisos y relieves que lo decoran podrían
ser desviaciones de una catedral alemana o francesa.

La envidia fue uno de los principales motivos instigadores
de la colección nacional. El príncipe Guillermo V había
recogido una reserva de 200 pinturas que se llevó consigo a
Londres en 1795, cuando huyó del ejército francés
revolucionario. En unos cuantos años, los enviados del
gobierno holandés consiguieron confiscar estas obras, que en
un principio se albergaron en La Haya. En 1808 se nombró rey
de Holanda a Luis Napoleón (hermano del emperador
francés), quien quiso emular la colección de su hermano en el
Louvre. Las obras se trasladaron de palacio y se guardaron en

La colección
del
Rijksmuseum
de Amsterdam
no sólo
contiene
pinturas. Abajo
se muestra una
casa de
muñecas del
siglo XVII

La lechera,
de Vermeer
(c.1660)

la ciudad, en la Trippenhuis, que pronto se quedó pequeña ante el creciente número de pinturas, grabados y esculturas.

Un alemán fue el ganador del concurso para diseñar una nueva galería en la periferia de la ciudad; como este hecho no se consideró apropiado, se ideó un turbio compromiso por el cual

El camino hacia el arte

El Rijksmuseum se construyó deliberadamente en medio de una carretera principal. Su inauguración, en 1885, coincidió con el año en que se probó el primer vehículo impulsado por combustión interna. El plan era crear un gran eje que emulase los de grandes ciudades como París y Berlín, proyecto que entorpeció la geografía de Amsterdam. El trayecto de la línea más recta que cruza el revuelto corazón de la ciudad, Achterburgwal, ve su continuación en Nieuwe Spiegelstraat, que sigue directa hasta atravesar el Rijksmuseum. Tras cruzar Singelgracht, este eje toma el nombre de Museumstraat, unas de las principales entradas al centro de Amsterdam ya en el siglo XX. Posteriormente se desvió el paso de coches y autobuses hacia el lado oeste del Rijksmuseum. No sería hasta finales de siglo cuando se liberó la vista suroccidental del museo gracias al traslado de la carretera.

se designó a Cuypers para sustituirle. Su copia ha demostrado ser robusta, aunque durante el siglo XX se cambió tanto su interior, que en 2004 se inició un programa de remodelación a largo plazo para acercar el Rijksmuseum al diseño original.

Visitas al Rijksmuseum durante la remodelación

Durante el cierre parcial del museo debido a la remodelación, algunas de las obras más importantes del museo están en préstamo a otras galerías, mientras que otras están almacenadas. No obstante, se siguen exhibiendo sus principales tesoros en el ala sur, en una exposición titulada *De Meesterwerken* (Las obras maestras).

Casi al iniciar la ruta se encuentran algunas casas de muñecas extraordinariamente elaboradas (sala 3), además de exquisitos objetos de cerámica. Las escaleras de la planta principal (superior) están decoradas con unos espléndidos techos de estuco del siglo XVII. La sala 7 se dedica a Frans Hals, cuyo trabajo se conmemora principalmente en Haarlem (► 166). Además, el museo posee algunos clásicos del artista, como *Pareja en un jardín*, en el

que se representa el matrimonio de una pareja aristocrática, o *El bebedor*, con una marcada personalidad. El museo destaca por poseer la mayor colección de obras de Rembrandt del mundo. De las 17 pinturas, merecen una atención especial algunas de ellas: la primera es un autorretrato de joven, que marca un duro contraste con el que realizó en 1661, a la edad de 55 años, en el que se encubre como el apóstol San Pablo. Su genio para expresar emociones se hace patente en *La novia judía*, en el que se muestra la pasión que revelaba la historia bíblica entre Isaac y Rebeca. Rembrandt se dedicó principalmente a los retratos por encargo. Su representación del anciano ministro protestante Johannes Wtenbogaert proclama la sabiduría de la edad. En *Los síndicos*, los clientes pidieron expresamente que se les retratase a todos al mismo nivel; destaca una figura medio elevada, mientras que los ojos del conjunto se fijan indiscutiblemente en el observador. Su obra más aplaudida es *La ronda de noche*, encargada por la milicia cívica de los Kloveniers. Durante el siglo XVII era

Aunque algo oscurecida por la edad, *La ronda de noche* de Rembrandt sigue asombrando a los visitantes

El imponente Rijksmuseum, un majestuoso edificio de ladrillo rojo

práctica habitual que los gremios se uniesen para encargar una pintura. El retrato habitual solía ser formal y poco natural, sin embargo, Rembrandt rompió con la tradición al incluir un toque de teatro y diversión que contrasta con el propósito serio de la milicia. Se eliminó a dos de los guardias para que la pintura pudiese encajar en su anterior ubicación.

El nuevo Rijksmuseum

El museo ha realizado una inversión de más de doscientos millones de euros en la remodelación. Se creará una nueva zona de entrada bajo el museo actual y se dedicará más espacio al arte. Se rescatará el diseño de Cuypers en cuanto a la elaborada decoración de las paredes, pintadas hasta lo alto, y además, se eliminarán las particiones internas que no formaban parte del diseño original. Se pueden averiguar más detalles sobre el nuevo museo en una exposición temporal (abierta ma-do 11.00-16.00, gratuita) situada en el jardín del Rijksmuseum.

UN DESCANSO

Sama Sebo, a sólo 150 m en Hobbemastraat, sirve buena comida indonesia.

Rijksmuseum
➕ 198 C2
✉ Jan Luijkenstraat 1
☎ 020 674 7047; www.rijksmuseum.com
🕐 Todos los días 9.00–18.00 (vi hasta 22.00). Cerrado 1 ene
🚊 2, 5, 6, 7, 10 💶 Caro, gratuito con las tarjetas Museumjaarkaart y I amsterdam Card

---

RIJKSMUSEUM: INFORMACIÓN ESPECÍFICA

Cómo entrar La **entrada temporal** al ala sur del Rijksmuseum está en Jan Luijkenstraat, 1, que queda a la derecha en la parte trasera del edificio, si se llega desde el centro de Amsterdam. Anteriormente existían dos o tres entradas al museo, de manera que la gran afluencia está resultando problemática durante el cierre del edificio principal. Si se compran las entradas con antelación desde la web del museo se evitan las colas.

Sugerencias La mayor afluencia de público al Rijksmuseum es durante los **fines de semana de verano.** Si es posible, se recomienda visitarlo de lunes a jueves, y en otro caso, llegar algo antes de su apertura, a las 9.00.

Curiosidades El precioso **jardín** de la parte suroccidental del edificio principal fue parte integral del diseño de Cuypers.

Vondelpark

Si se sobrevuela Amsterdam se aprecia la amplitud de su vegetación. Unos 220.000 árboles flanquean los canales, salpican las plazas y llenan los patios: uno por cada tres ciudadanos. De todos los parques (aproximadamente 28) Vondelpark es el más popular: con sus 45 hectáreas atrae a 8 millones de visitantes al año.

Vondelpark yace en un extremo de tierra, en una zona por debajo del nivel del mar. No existe terreno libre entre el anillo de canales para un espacio abierto importante, por lo que el parque aparece en el mapa como una franja verde alargada y estrecha, con un extremo junto a Singelgracht y el otro en Amstelveenseweg, casi 2 km más allá.

En esta zona, donde viven esencialmente trabajadores, se personifica un microcosmos de la vida en Amsterdam: familias de *picnic* entre los patinadores o señoras elegantes paseando a sus caniches entre el humo de gente fumando hachís, aunque hoy por hoy no es probable encontrar colonias de *hippies* acampando. Sin embargo, aquí se obtiene algo más que un estudio sobre la gente: se puede caminar entre un jardín de rosas

La otra cara de Amsterdam: los amplios espacios abiertos de Vondelpark

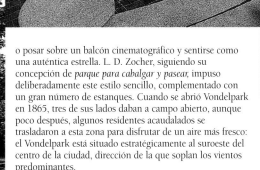

Derecha: en
verano acuden
millones de
ciudadanos
de Amsterdam

o posar sobre un balcón cinematográfico y sentirse como
una auténtica estrella. L. D. Zocher, siguiendo su
concepción de *parque para cabalgar y pasear,* impuso
deliberadamente este estilo sencillo, complementado con
un gran número de estanques. Cuando se abrió Vondelpark
en 1865, tres de sus lados daban a campo abierto, aunque
poco después, algunos residentes acaudalados se
trasladaron a esta zona para disfrutar de un aire más fresco:
el Vondelpark está situado estratégicamente al suroeste del
centro de la ciudad, dirección de la que soplan los vientos
predominantes.

Un paseo por el parque

La mejor forma de entrar a Vondelpark es por la entrada
que da a Singelgracht. El modo más fácil de llegar es desde
Max Euweplein, el moderno complejo que se alza al sur de
Leidseplein. Un carril bici lo corta pasando el enorme
escenario de ajedrez y atravesando un puente. Si se cruza la
ajetreada Stadhhouderskade, se llega hasta las puertas de
hierro originales que marcan el estrecho final del parque.

Unos 400 m más adentro, **Eerste Constantijn
Huygenstraat** (cuyo nombre es casi tan largo como la calle
en sí) se sumerge en el cuello del parque. Justo antes del puente,
a la derecha (norte) se ubica el **albergue juvenil** oficial de la
ciudad, que nació del desolado esqueleto de una antigua escuela.
Directamente enfrente, al otro lado del parque, se alza el **Flying
Pig,** un competidor más moderno y liberal.

Después del puente, el parque se amplía y aparece el primer
signo de agua: un **estanque** serpenteante que repta unos
400 m hasta el corazón del parque.

Hacia la derecha está el **Nederlands Filmmuseum,** un
imponente e inconfundible pabellón diseñado por P. J. y W.
Hamer en 1881. Suyos son adornos como las ingenuas
doncellas que flanquean las escaleras, sin embargo, el nuevo
interior incluye el Cinema Parisien. Cuando en la década de

1980 se demolió la primera sala de cine de Amsterdam, se trató de resucitar todo lo posible plasmándolo en el Nederlands Filmmuseum. Para ver los resultados habría que comprar una entrada para alguno de los clásicos mudos o de los estrenos contemporáneos. A pesar de su excelente programa cinematográfico, la mayor parte del público prefiere el cine al aire libre, que en verano aparece lleno de gente más interesada en Grolsch y Heineken que en Garbo y Hitchcock, exceptuando alguna de las proyecciones regulares. Está previsto el traslado del Filmmuseum a una nueva ubicación a orillas del IJ, al norte de Centraal Station.

Esta estatua en bronce de Vondel conmemora al poeta holandés

De entre los muchos ciudadanos cuyo nombre podría darse al parque más ambicioso de Amsterdam, el elegido fue el poeta Joost van den Vondel, contemporáneo de Rembrandt, al que se conmemora en Rembrandtplein. Vondel escribió sus obras al mismo tiempo que Shakespeare, aunque con mucho menos éxito y proyección. Una gran **estatua** en su honor preside el parque en la franja de tierra situada frente al Filmmuseum.

En el centro del parque la parada obligatoria para refrescarse es la **'t Blauwe Theehuis** (la Casa Azul del Té, ➤ 131), un platillo volante convertido en café, que cayó a la tierra justo enfrente del quiosco de música. Al lado, el **Openluchttheater** (teatro al aire libre, ➤ 134) cuenta en verano con una buena programación de representaciones gratuitas. La segunda parada refrigerante, **Melkhuis,** incluye tanto *brasserie* como autoservicio, con menos estilo que 't Blauwe Theehuis pero con un café y unas tartas mejores.

Siguiendo por el lado sur del parque y volviendo hasta cruzar el puente, ligeramente flanqueado por árboles, se llega hasta el **jardín de rosas,** cuya sucesión de parterres hexagonales muestra su máximo esplendor en verano, aunque resulta algo decepcionante en invierno. Si se continúa hacia el oeste se pasa por lo más parecido a unas cataratas dentro de Vondelpark: una escultura llamada *Cascade,* con agua bañando las rocas.

El extremo occidental del parque está siendo sometido a obras de remodelación, permitiendo que se desarrolle de forma más salvaje con la esperanza de que las especies que habitaban las marismas originales vuelvan. En paneles informativos se detallan los pasos que se están siguiendo y las aspiraciones del proyecto.

El parque es un lugar idóneo para los enamorados

La última oportunidad de tomar un refrigerio es el **Vondel Tuin** (abierto abr-oct), un café situado en la esquina suroccidental, antes de salir a Amstelveenseweg, mucho menos opulento que el resto de los alrededores de Vondelpark.

UN DESCANSO

Lo ideal es un *picnic*. El supermercado más cercano al extremo oriental es de la cadena **Albert Heijn** y está en Overtoom, en el cruce con Eerste Constantijn Huygenstraat.

Nederlands Filmmuseum

🔲 198 A2

✉ Vondelpark 3

☎ 020 589 1400; www.filmmuseum.nl

🕐 La taquilla/vestíbulo está abierta lu–vi de 10.00, fines de semana una hora antes de la primera proyección, hasta el final de la última proyección.

🍴 €€

🚊 1, 3, 12 paran en el cruce de Overtoom con Eerste Constantijn Huygenstraat

💶 Entrada proyecciones: económico–moderado

Abajo: mucha gente viene al parque en bicicleta

VONDELPARK: INFORMACIÓN ESPECÍFICA

Sugerencias Dado el tamaño de Vondelpark, es buena idea **alquilar una bicicleta** (► 25). En verano se pueden alquilar patines en línea en la caseta junto al café Vondel Tuin, en la esquina suroccidental. Exigen el pasaporte y un depósito de 20 €.

• Los tranvías 2 y 5 paran en la **entrada oriental** del parque, y el 2 también en la **entrada suroccidental.**

Stedelijk Museum

Los antiguos clásicos del Rijksmuseum y el genio del siglo XIX de Van Gogh no tienen el monopolio artístico de Amsterdam: el Stedelijk transporta a los amantes del arte hasta hoy en día con algunas de las obras más emocionantes y desafiantes de Europa. El principal depositario de arte moderno de la ciudad se sitúa en una ubicación temporal, el antiguo edificio de correos, al este de Centraal Station (➤ 68). Cuando finalice la remodelación regresará a su emplazamiento original, al abrigo del Van Gogh Museum.

La aristócrata holandesa Sophia de Bruijn-Suasso dejó un legado a la ciudad de cientos de relojes, joyas y otras piezas. En ese mismo momento, Amsterdam se enfrentaba a las peticiones de que se construyese un lugar dedicado al arte contemporáneo, por lo que decidió combinar ambas disciplinas bajo el mismo techo, dando origen en 1895 al Stedelijk, diseñado por A. W. Weissmann. El arte moderno ganó la batalla, de manera que la colección de Bruijn-Suasso se diseminó gradualmente hacia otras colecciones. Tras la II Guerra Mundial, Willem Sandberg asumió el cargo de curador, situando Amsterdam en general y el Stedelijk en particular, a la vanguardia de la modernidad. La colección incluye obras de Matisse, Picasso, Mondrian y Chagall, además de aquellas asociadas al grupo CoBrA y al movimiento De Stijl holandés.

Visita al Stedelijk

Tras haber acometido una remodelación y ampliación exhaustivas, que incluirán un edificio futurista simulando una bañera suspendida, entre otras sorpresas, el edificio del Stedelijk volverá a recibir a sus visitantes en Museumplein. Hasta entonces, se exhibirá el arte de 1968 en adelante en las plantas segunda y tercera del antiguo edificio de correos. El Stedelijk trata por todos los medios de divulgar que las obras destacadas de su colección no están expuestas, ya que las condiciones ambientales del edificio no lo permiten. Esta antigua sede de correos, llamada Stedelijk Museum CS, se alza entre las promociones de grandes edificios de Oosterdokseiland Amsterdam, cerca de Centraal Station. Muchas de las obras expuestas son parte de exposiciones temporales esotéricas, por

La colección del Stedelijk incluye atrevidas esculturas

Izquierda: obra expuesta en el Stedelijk, un museo a la vanguardia de la modernidad

Las obras del Stedelijk cambian de forma continua

ejemplo, una gran parte del espacio está dedicado a instalaciones de vídeo de vanguardia y esculturas de artistas revelación que cuestionan las ideas establecidas.

Como extensión de su programa cultural, el Stedelijk planea montar un número de exposiciones temporales en otros lugares de la ciudad. Para más detalles se puede consultar su página web.

UN DESCANSO

El café del Stedelijk Museum CS es un clásico, aunque una opción mucho mejor es subir a la última planta del edificio (la 11ª) para llegar hasta el **restaurante, bar y club 11.** Este acogedor lugar, además de ofrecer unas vistas espectaculares de la ciudad y del IJ, tiene buena comida. También se recomiendan los cafés y restaurantes del Zeedijk y sus alrededores.

Stedelijk Museum
🗺 198 B1 (Stedelijk Museum CS 200 C5)
✉ Oosterdokskade 5 ☎ 020 573 2911; www.stedelijk.nl 🕔 Todos los días
10.00-18.00 (ju también 18.00–21.00) 🍴 Café (€–€€) 📆 Todas
💶 Moderado; gratuito con las tarjetas Museumjaarkaart y I amsterdam
Card (► 39)

STEDELIJK MUSEUM: INFORMACIÓN ESPECÍFICA

Sugerencias Aunque el temporal **Stedelijk** se ubica en el edificio más alto de la zona, no da la impresión de que en él se albergue un museo. Hay que buscar el bloque de oficinas marcado como POST CS, al este de Centraal Station (a la derecha según se mira de frente hacia la estación) y seguir la ruta señalizada a través de las obras del recinto.

• También se puede acceder al museo por los **puentes peatonales** situados sobre Oosterdok, desde NEMO.

• **Antes de visitar** el museo conviene consultar su página web.

Van Gogh Museum

Murió solo, tras haber vendido únicamente dos de sus obras a lo largo de una breve y tortuosa carrera como artista. Hoy en día, las pinturas de Van Gogh se venden por sumas espectaculares y el lugar que alberga la mejor colección de sus obras es el museo más visitado de Amsterdam.

La lotería (1882)

Van Gogh comenzó a dibujar y a pintar en 1880, tras haber ejercido en Gran Bretaña una carrera poco prometedora en la enseñanza y la predicación. En la década siguiente realizó 800 pinturas, un cuarto de las cuales siguen en posesión del museo, que también cuenta con 500 de sus dibujos y 700 cartas (aunque no suelen exponerse debido a que son muy delicados), además de 400 grabados japoneses en los que se inspiró el artista.

Tras su muerte en julio de 1890, su hermano menor, Theo, heredó las obras del artista, aunque sólo vivió seis meses más que él, por lo que pasaron a poder de su viuda, Johanna. En 1962, su hijo Willem Van Gogh vendió la colección a la Vincent Van Gogh Stichting (Fundación).

El Rijksmuseum Vincent Van Gogh, como se le conoce oficialmente, abrió sus puertas en 1973. El austero diseño rectangular de Gerrit Rietveld desentona con sus elegantes vecinos de ladrillo rojo de Museumplein, aunque este contraste proporciona a las obras aún más viveza.

El museo también posee pinturas de los contemporáneos de Van Gogh, que en su época fueron mucho más ilustres. En la **planta baja** (número 0) se establece el contexto de

*Puente de
Langlois en
Arles con
carretera
(1888)*

la segunda mitad del siglo XIX, época en la que Van Gogh
tomó la inspiración de obras como *Hooien*, de Léon-
Augustin L'hermitte. Posteriormente diría que era "como si
estuviese hecho por un campesino que supiese pintar".

En la **primera planta** hay un sobrio autorretrato, el
único en el que se representa un caballete. Las fuentes
históricas sugieren que éste es el de mayor parecido con la
realidad de todos sus autorretratos, cuyo gran número no
es señal de vanidad: Van Gogh no podía permitirse pagar
modelos, por lo que practicaba consigo mismo.

La exposición sigue el sentido de las agujas del reloj y
un orden cronológico, comenzando en Bruselas y llegando

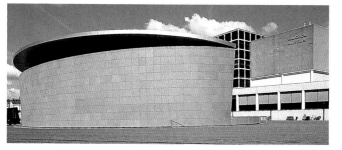

La ampliación

En 1999 se inauguró, con gran expectación, la necesaria ampliación del Van Gogh
Museum acometida por el arquitecto japonés Kisho Kurokawa, con un plano en forma
oval y un exterior revestido de titanio e interrumpido por cubos, que combinan con la
severidad del original de Gerrit Rietveld. Para observarlo con más detalle, se puede
subir a la tercera planta del edificio principal. Se llega a la ampliación gracias a un
ascensor que une la planta sótano con *el nudo,* lugar que vincula la parte antigua con
la nueva. A nivel del suelo hay un estanque oval poco profundo rodeado de cristal. En
el extremo más lejano se sitúan las galerías destinadas a las exposiciones temporales.

La pobreza obligó a Van Gogh a posar él mismo como modelo

hasta La Haya. El breve periodo que el artista pasó en el inhóspito noreste de Holanda no consiguió ser productivo, por lo que Van Gogh tuvo que regresar con sus padres a la ciudad de Neunen, situada justo en la frontera con Bélgica.

Su reverencia ante la integridad del trabajo manual se representa en *Los comedores de patatas* (1885), la primera pintura que firmó. Poco después, su *Bodegón con membrillos y alubias,* muestra una ligereza inusual, ya que la imagen se extiende hasta el marco.

En la primavera de 1886, Van Gogh se trasladó al barrio de Montmartre, en París, donde vivió junto a su hermano Theo, que era marchante de arte, y allí recogió la influencia de los impresionistas. Su constante inquietud le condujo en mayo de 1888 a Arles, en el sur de Francia, donde deseaba establecer una colonia de artistas en la casa amarilla que alquiló. Paul Gauguin llegó a ella en octubre para quedarse un breve y desdichado periodo, durante el cual la salud mental de Van Gogh se deterioró, hecho que le llevó a mutilarse la oreja izquierda.

Tras el regreso de Gauguin a París, Van Gogh sufrió una crisis nerviosa y en abril de 1889 fue recluido en un sanatorio en Saint-Rémy. Aquí realizó algunas de sus obras maestras, incluyendo *Los lirios*. Como no podía permitirse tener modelos, para inspirarse el artista recurría a obras de los antiguos maestros, como *La resurrección de Lázaro,* al estilo de Rembrandt. En la obra *Campo de trigo con segador,*

VAN GOGH MUSEUM: INFORMACIÓN ESPECÍFICA

Sugerencias A veces la cola para entrar al Van Gogh Museum puede ser descorazonadora. Si se **llega sobre las 9.30,** se podría entrar sobre las 10.00, aunque si se llega a las 10.00 es probable que no se entre hasta las 11.00, con un poco de suerte. Para evitar las colas se recomienda comprar la entrada por adelantado en la página web del museo.

• Es posible esquivar la multitud si se visita el museo un lunes por la mañana o después de las 16.00, cuando la gente empieza a retirarse y el museo queda mucho más tranquilo.

• Las audioguías tienen un coste adicional, aunque añaden bastante valor a la experiencia. Están disponibles para niños y para adultos.

• Los **viernes por la noche,** en los que el museo permanece abierto hasta las 22.00, suele haber algún entretenimiento adicional, como música en directo o algún *DJ.*

La última y tortuosa obra de Vincent: *Campo de trigo con cuervos* **(1890)**

se representa la portentosa vista desde la habitación de Van Gogh en Saint-Rémy, la misma donde el artista escribió que veía en él "la imagen de la muerte".

En mayo de 1890 se trasladó al norte, a Auvers-sur-Oise, cerca de París. Dos meses más tarde, se disparó en un trigal: tardó dos días en morir a causa de las heridas. La exposición de la **primera planta** se cierra con tres paisajes llenos de fuerza que muestran su manejo del pincel en su máxima expresión: sólo dos semanas antes de su muerte, el artista pintó *Campo de trigo con cuervos.*

UN DESCANSO

La Terrasse, dentro del museo, sirve café y otras comidas más sustanciosas. En los días soleados, la terraza del restaurante **Cobra** (➤ 131) es ideal. También se puede comprar lo necesario para hacer un *picnic* en el **supermercado Albert Heijn,** tras la esquina suroccidental de Museumplein.

Van Gogh Museum
✚ 198 B1 ✉ Paulus Potterstraat 7 ☎ 020 570 5200; www.vangoghmuseum.nl
🕐 Sá–ju 10.00–18.00 (último pase: 17.30), vi 10.00–22.00 🍴 Café La Terrasse: abierto todos los días 10.00–17.30 (€) 🚊 2, 5 💶 Caro. Entrada reducida para niños entre 13–17 años; gratuito para menos de 13 años; gratuito con las tarjetas Museumjaarkaart y I amsterdam Card (excepto exposiciones especiales; ➤ 39)

Otras opciones

▯ Coster Diamonds

Una de las principales fábricas de pulido de diamantes de Amsterdam se encuentra escondida junto al Rijksmuseum (un poco más adelante siguiendo por la carretera del Van Gogh Museum) y ofrece visitas regulares de 45 minutos.

La experiencia comienza en una sala de exposiciones en la que se exhiben réplicas de algunos de los diamantes más aplaudidos del mundo, como el Koh-i-noor o el Cullinan. La parte más interesante de la ruta es ver cómo

Amsterdam dispone de una larga experiencia en la talla de diamantes

trabajan los talladores: se puede escudriñar sobre sus tornos para ver el complicado proceso mientras pulen cada faceta del mineral más duro del mundo.

Posteriormente se acomoda a cada grupo en una de las salas privadas para explicarles cómo se valoran y clasifican los diamantes. También aquí se presentan diversos anillos para su inspección, oportunidad que aprovecha

La vida de los diamantes

La mayoría de los diamantes de todo el mundo se extrae de las minas de las regiones ecuatoriales o en el hemisferio sur, aunque el comercio de las gemas está controlado en buena medida por la sede londinense de De Beers. Los primeros diamantes llegados a Europa desde la India en el siglo XV se tallaron en Brujas, aunque posteriormente, la industria se trasladó a Amberes, que sigue siendo el centro de este comercio. Amsterdam comenzó a ganar importancia cuando los Habsburgo se apoderaron de Amberes en 1589 y miles de mercaderes protestantes y judíos huyeron hacia el norte. Incluso cuando se restableció el mercado de los diamantes en Amberes, Amsterdam ya contaba con un número de mercaderes suficiente para desarrollar la industria en la ciudad. El comercio de diamantes fue uno de los pocos negocios abiertos a los judíos en Holanda.

el público para preguntar y el guía para vender sus productos.

Coster Diamonds ha abierto un museo, el Diamant Museum Amsterdam, en Paulus Potterstraat, 8, en el que se explica cómo se fabrican los diamantes, de dónde se extraen y la *regla de las cuatro c* que determinan su calidad: peso en quilates (*carat*), color, claridad y talla (*cut*). También dispone de actividades divertidas: es posible coronarse en una pantalla interactiva o apreciar el *glamour* de los diamantes dentro de un diamante del tamaño de una habitación.

Fachada del Hollandsche Manege

🔷 198 C1 ✉ Paulus Potterstraat 2–8 ☎ 020 305 5555; www.coster diamonds.com 🕐 Visitas y museo: todos los días 9.00–17.00 🚋 2, 5 💶 Visitas gratuitas, museo moderado

🔳 Museumplein

El manto verde que se extiende hacia el suroeste del Rijksmuseum es mucho más que un simple trozo de espacio al aire libre con museos esparcidos por los alrededores. Dispone de un estrecho estanque (del que emanan fabulosos reflejos fotográficos del Rijksmuseum en tardes soleadas) y una gran zona de césped donde poder relajarse.

La ambiciosa ampliación del Van Gogh Museum ha conferido una nueva vida a Museumplein, como también lo hizo el cambio de imagen que se llevó a cabo en 2001 rejuveneciendo la vegetación.

🔷 198 C1 🚋 2, 5 (esquina norte); 16 (esquina sur); 3, 5, 12 (Van Baerlestraat, borde suroeste)

🔳 Hollandsche Manege

El diseño de estas elegantes caballerizas, realizado por A. L. Van Gendt, estuvo fuertemente influenciado por la Escuela de Equitación Española de Viena. Se construyeron en 1882, cuando esta zona era totalmente rural. Gradualmente, Amsterdam se ha expandido alrededor de este edificio, aunque su carácter se ha mantenido intacto. La entrada tiene un aspecto imponente; se puede pasar y reconocer el ruedo desde la terraza. Además, se pueden observar los caballos desde la comodidad de su opulento café.

🔷 Fuera del plano 198 A2 ✉ Vondelstraat 140 ☎ 020 618 0942; www.dehollandschemanege.nl 🕐 Lu, ma, ju, vi 14.00–23.00, mi 9.00–23.00, sá 9.00–18.00, do 9.00–17.00 🍴 Café (€) 🚋 1 (Overtoom, un bloque al norte) 💶 Gratuito

El espectacular Concertgebouw, de estilo neo-renancentista, es famoso por su acústica

9 Concertgebouw

Amsterdam siempre ha tenido problemas con sus monumentos, o mejor dicho, con la falta de los mismos. Hacia finales del siglo XIX se hicieron esfuerzos por aumentar la grandeza de la ciudad, cuyos resultados fueron el Rijksmuseum y la Centraal Station, así como el Concertgebouw, escenario principal de las funciones importantes de la ciudad.

P. J. H. Cuypers, que construyó los primeros dos iconos, presidió también el comité de diseño del Concertgebouw. Ésta es la razón de que el diseño del arquitecto elegido, A. L. Van Gendt complementase el del

6 Hotel Hilton

Como otros establecimientos de la cadena Hilton, la versión de Amsterdam resulta visualmente monótona: un bloque de la década de 1960 mal situado en una curva del, por lo demás atractivo, Noorder Amstelkanaal.

No obstante, la gente no acude aquí a observar su arquitectura, sino para alojarse en una de sus 271 habitaciones o para peregrinar a un importantísimo lugar de la ruta de John Lennon. En marzo de 1969, Lennon y Yoko Ono se alojaron en la actual habitación 702 y dispusieron que se retirase todo el mobiliario, a excepción de la cama. Invitaron a los medios para que fueran testigo de su campaña "En la cama por la paz". El evento, que alcanzó gran difusión, fue posteriormente inmortalizado en el éxito de The Beatles, *The ballad of John and Yoko,* cuya letra se escribió aquí.

En 1991, Yoko volvió al hotel, tras lo cual se dio a la habitación una nueva imagen *hippy-chic*. La cama se mantuvo tal como estaba, pero el resto de la habitación se ha convertido en una especie de santuario, con dibujos en el techo supuestamente inspirados por la letra de *Imagine*. Para verlo, hay que reservarla y pagar sus aproximadamente 1.000 € por noche.

🔲 202 C1 ✉ Apollolaan 138–140
☎ 020 710 6000;
www.amsterdamhilton.com 🚌 16 (De Lairessestraat, dos bloques al norte)

Rijksmuseum. En lugar de las vidrieras representando la imagen de grandes artistas, en el Concertgebouw se incluyen bustos de compositores ilustres.

Los miércoles a mediodía se ofrecen breves conciertos gratuitos, tanto en el Grote Zaal (auditorio principal) que tiene una acústica excelente, como en el Kleine Zaal (auditorio de recitales).

🔲 198 B1 ✉ Concertgebouwplein 2–6
☎ 020 671 8345; www.concertgebouw.nl
🚌 3, 5, 12, 16

Dónde...
comer y beber

Precios

Precio aproximado de una comida, bebidas excluidas:

€ menos de 20 €   €€ 20–40 €   €€€ más de 40 €

't Blauwe Theehuis €

En el corazón del Vondelpark se alza esta estructura en forma de pagoda que data de la década de 1930. Dispone de una gran terraza donde poder disfrutar de sus aceptables tartas y sándwiches, aunque también se puede subir al bar restaurante de la planta alta, animado por un *DJ* los viernes por la noche en verano.

🚩 198 A1 ✉ Vondelpark ☎ 020 662 0254; www.blauwetheehuis.nl ⏰ Verano: do–ju 9.00–1.00, vi, sá hasta 3.00; invierno: lu–vi 9.00–16.30, sá, do 9.00–20.00

caffepc €€

Café ultra moderno en la calle comercial más elegante de Amsterdam, ideal para tomar algo ligero. Ofrecen tapas y deliciosas tartas, aunque también se puede disfrutar de un plato más sustancioso en una de sus cabinas de piel rodeadas de paneles de madera. De fondo suena música soul. Algunos toques de naranja dan luz a sus oscuras paredes y al suelo de pizarra.

🚩 198 B2 ✉ PC Hooftstraat 87 ☎ 020 673 4752; www.caffepc.nl ⏰ Do, lu 10.00–18.00, ma, mi 8.30–20.00, ju 8.30–22.00, vi, sá 8.30–21.00

Cobra €€

El nombre de este moderno café, situado en Museumplein, se basa en el movimiento artístico expresionista de finales de la década de 1940, en el que representaron un papel principal ciertos pintores de Copenhague, Bruselas y Amsterdam. Todo su diseño se basa en este movimiento, aunque con buen tiempo se recomienda sentarse en el exterior y disfrutar de los omnipresentes músicos ambulantes. Su oferta incluye sándwiches, interesantes ensaladas, sopas y platos a base de huevos.

🚩 198 C1 ✉ Museumplein ☎ 020 470 0111; www.cobracafe.nl ⏰ Todos los días 10.00–18.00

Ebeling €

Situado en un antiguo banco (los servicios ocupan la antigua cámara de seguridad), el Ebeling es ahora un refugio de moda para veinteañeros. Combina una decoración minimalista y música a todo volumen por las noches, con unos rasgos más convencionales como mesas con velas, zona de lectura con periódicos y revistas y probablemente algún gato dormitando en una esquina. Cocina internacional.

🚩 198 A2 ✉ Overtoom 50 ☎ 020 689 4858; www.cafeebeling.com ⏰ Do–mi 10.00–1.00, ju–sá hasta 3.00

Kinderkookkafé

En el lado norte de Vondelpark se alza este original café para niños, sobre unas antiguas vaquerizas remodeladas. Dispone de una gran terraza exterior y una zona de juegos. Es un café familiar ideal para tomar un aperitivo, en el que los niños preparan y decoran su propia comida, como pizzas, sándwiches y tartas. Para mayores de 8 años ofrecen clases de cocina (previa reserva) donde los niños preparan un menú completo durante la mañana.

🚩 202 B3 ✉ Vondelpark 6B con Kattenlaan ☎ 020 625 3257; www.kinderkookkafe.nl ⏰ Todos los días 10.00–17.00

Vertigo €-€€

Ubicado en el pabellón que alberga el Nederlands Filmmuseum (▶119), este café adopta su nombre de la famosa película de Hitchcock. Se encuentra escondido en un sótano abovedado, con paredes cubiertas por carteles de cine, aunque en verano, su encanto principal es la gran terraza con vistas a Vondelpark. Es muy popular entre los jóvenes, y para comer, dispone de una variedad de ensaladas, pastas y filetes.

🔳 198 A2 ☒ Vondelpark 3
☎ 020 612 3021; www.vertigo.nl
🕑 Todos los días 11.00–1.00

Welling €

El encanto del Welling se basa en ser un tranquilo y ligeramente elegante *bruin café* situado detrás del Concertgebouw (▶130), al que debe mucha de su clientela. Sus ventanas están cubiertas con cortinajes de terciopelo y visillos, las sillas y sofás, bien vestidos, y el suelo, techo y paredes son de miles

de tonos marrones. El bastón que cuelga sobre la barra era de un antiguo cliente habitual que falleció.

🔳 202 D2 ☒ JW Brouwersstraat 32
☎ 020 662 0155; www.cafewelling.nl
🕑 Do–ju 16.00–1.00, vi, sá hasta 2.00

Wildschut €-€€

Este *grand café* de estilo *art deco* se sitúa fuera de la ruta turística, a 5 minutos andando al sur del Concertgebouw. Su larga fachada curva forma parte de una escuela de arquitectura de Amsterdam, que data de la década de 1920. Si el tiempo lo permite, este edificio se puede admirar desde una amplia terraza exterior (aunque normalmente hay bastante tráfico). En el interior del café destacan sus paneles de mármol, asientos de teatro rescatados de un cine de época y una gramola Wurlitzer. A medio día se concentran en buenos sándwiches, mientras que por las noches ofrecen platos más sustanciosos, como filetes. El servicio es bastante informal.

www.goodfoodgroup.nl 🕑 Todos los días 9.30–1.00

🔳 202 E1 ☒ Roelof Hartplein 1–3
☎ 020 676 8220;

RESTAURANTES

Bark €€

Concurrido restaurante marinero cercano al Concertgebouw que ofrece un rápido servicio y acepta comidas hasta más tarde de lo habitual en la ciudad. Las mesas son pequeñas y se colocan muy juntas, por lo que es inevitable enterarse de las conversaciones ajenas. Se puede elegir entre ostras, mariscos o platos más creativos, como pez espada con mejillones. Su restaurante gemelo, aunque más orientado a la carne, tiene un estilo muy similar y se sitúa en el nº 134 del mismo bloque: De Knijp (tel: 020671 4248).

🔳 202 E2 ☒ Van Baerlestraat 120
☎ 020 675 0210; www.bark.nl
🕑 Lu–vi 12.00–15.00, 17.30–00.30, sá, do 17.30–00.30

Blue Pepper €€€

Los comensales de Blue Pepper, uno de los mejores restaurantes indonesios de Amsterdam, sufren algo parecido a un asalto a los sentidos: paredes azul vivo, platos elaborados, sencillas orquídeas blancas y una excelente e innovadora cocina indonesia, incluyendo una versión moderna del *rijsttafel*. Se debe pedir al personal el punto de especias deseado, y se recomienda seguir sus consejos. Su exquisito helado de arroz con *crêpes* de coco es imprescindible.

🔳 198 B3 ☒ Nassaukade 366
☎ 020 489 7039 🕑 Todos los días 18.00–22.00

De Toog Eetcafe €-€€

Fuera del circuito turístico (saliendo de Vondelpark por Gerard Brandstraat y posteriormente a la derecha por Eerste Helmersstraat), este animado e informal restaurante se aloja en un edificio tradicional de 1890. El menú completo incluye ensalada caliente de ternera tailandesa o filete de venado con salsa de arándanos.

🚩 Fuera del plano 198 A2
✉ Nicolaas Beetsstraat 142 ☎ 020 618 5017; www.goodfoodgroup.nl
🕐 Todos los días 16.00–24.00

Le Garage €€€

Lo que fue en su día un garaje trasero cercano a Vondelpark se ha transformado hoy en uno de los restaurantes con más *glamour* de la ciudad. La mayoría de los platos, como el marisco y las carnes *rôtisserie*, son franceses, y a pesar del deslumbrante entorno, bastante corrientes. También tienen platos de otras cocinas, como por ejemplo el entrante holandés de endivias con anguila ahumada y la ensalada tailandesa. Hay que reservar con antelación e ir vestidos con estilo.

🚩 202 E1 ✉ Ruysdaelstraat 54–56
☎ 020 679 7176;
www.restaurantlegarage.nl
🕐 Lu–vi 12.00–14.00, 18.00–23.00; sá. do 18.00–23.00

Dónde... comprar

En el Barrio de los Museos se pueden adquirir desde artículos baratos hasta una multitud de objetos que podrían dañar seriamente la economía familiar. Es el lugar idóneo para gastarse una fortuna, o ver a los demás gastándosela, en las exclusivas *boutiques* dedicadas a las creaciones de diseñadores holandeses e internacionales, o en Coster Diamonds (▶128).

PC Hooftstraat

El sinónimo de lujo y sofisticación en Amsterdam adopta el nombre del poeta del siglo XVII Pieter Cornelisz Hooft. No obstante, son los famosos nombres de los diseñadores internacionales los que atraen a los consumidores a estas tres manzanas compactas situadas entre Hobbemastraat y Van Baerlestraat.

Los escaparates de **Gucci** (nº 56) son normalmente atractivos y minimalistas: por ejemplo, una serpiente disecada con un bolso en la boca. Entre las demás tiendas curiosas de este lado (norte) de la calle están: **Shoebaloo** (nº 80), con su llamativo calzado dispuesto en un interior futurista; **MEXX** (nº 118–120), cuyos escaparates irregulares confieren a su fachada el aire más teatral de la calle; y **Edgar Vos** (nº 134), donde se pueden admirar las creaciones *haute couture* de un diseñador holandés.

En el lado sur se recomienda observar: **Emporio Armani** (nº 39); **Oger** (nº 81), con su ropa de caballero ultra conservadora; **Ralph Lauren** (nº 89); y **Oilily's** (nº 133) dedicada a ropa y accesorios infantiles muy bonitos.

Dejando a un lado la ropa, **Fred Stoeltie Brillen** (nº 73) es el lugar perfecto para comprar unas gafas de diseño. En **JA Henckels Zwilling** (nº 43) tienen objetos de acero inoxidable de la más alta calidad, incluyendo cuchillos de cocina, tijeras, abrebotellas y juegos de condimentos de los principales fabricantes de todo el mundo.

Lifestyle (nº 116) es una compañía holandesa especializada en muebles, decoración interior y accesorios para el hogar.

Justo al terminar PC Hooftstraat, en **Romeo Vetro** (Hobbemastraat, nº 13) se exhiben extravagantes objetos de cristal en forma de instrumentos musicales, delfines y barcos. En el otro extremo (oriental) de la calle también hay *boutiques* de moda, como la del diseñador holandés **Sissy Boy** (nº 15 señora; nº 12 caballero).

Cornelis Schuytstraat

Totalmente fuera de la ruta turística, esta calle abastece las necesidades de los jóvenes ejecutivos con buena situación económica que se concentran en el vecindario.

Abundan las tiendas de flores con escaparates artísticamente decorados, *boutiques* de moda y varios cafés con terraza. Se puede comprar algo para ir *de pícnic* al Vondelpark en **Food for You** (nº 26), una tienda de alimentos ecológicos, o en **Van Averzaath** (nº 36), una clásica *pâtisserie* en servicio desde 1905.

Tiendas de los museos

Todos los principales museos del barrio tienen tiendas en las que se venden libros, láminas y postales de arte. La tienda del **Rijksmuseum** suele tener bastante afluencia, mientras que la del **Van Gogh Museum** cuenta con una excelente selección de láminas de las obras del artista, además de libros, relojes, mochilas y juegos.

En Museumplein también existe una tienda única para comprar libros, láminas y postales, y que también tiene gran variedad de puzzles, paraguas e imanes de Rembrandt y Van Gogh.

Dónde... divertirse

El Barrio de los Museos tiene una gran carencia de cafés, por lo que cuando oscurece, suele quedarse vacío y apagado, sin el atractivo de los distritos más céntricos de la ciudad. Sin embargo, con el buen tiempo, Vondelpark, el pulmón de la ciudad, y Museumplein, la plaza situada detrás de los museos, son lugares muy agradables, llenos de artistas callejeros ofreciendo entretenidos espectáculos.

El **Concertgebouw** es el principal auditorio de Amsterdam dedicado a la música clásica (▶ 130; Concertgebouwplein, 2-6; tel: 020 671 8345; www.concertgebouw.nl). Este gran edificio neoclásico, sede de la Royal Concertgebouw Orchestra, impone su grandeza en el lado occidental de Museumplein. Además de las funciones de noche, también ofrece conciertos los domingos por las mañanas y conciertos gratuitos de media hora los miércoles a las 12.30, que se celebran en sus dos auditorios (Kleine Zaal y Grote Zaal), de acústica excepcional. Gracias en parte a la presencia del popular Concertgebouw, se pueden encontrar buenos restaurantes en Baerlestraat, que a su vez se presenta como la calle nocturna más animada del Barrio de los Museos.

Las noches de verano, muchos ciudadanos se concentran en Vondelpark, y algunas tardes, de finales de mayo a finales de agosto, se ofrecen espectáculos gratuitos en el **Openluchttheater** (teatro al aire libre), incluyendo jazz, rock y música clásica, teatro para niños y monólogos: para obtener más información se puede visitar la web www.openluchtheater.nl. En verano, los viernes noche suelen pinchar DJ en **'t Blauwe Theehuis** (▶ 131), en Vondelpark.

En la esquina nororiental del parque se alza el **Nederlands Filmmuseum** (Vondelpark, 3; tel: 020 589 1400; www.filmmuseum.nl; ▶ 119), aunque podría decirse que más que un museo en sí, es un cine que alberga objetos de arte y en el que se encuentra uno de los cafés de moda (Vertigo, ▶ 131). Proyecta todo tipo de películas, desde clásicos mudos hasta *Breve encuentro* (1945), así como los últimos estrenos. Las noches de los viernes de julio a septiembre ofrecen proyecciones gratuitas al aire libre.

También existe una discoteca bastante moderna y animada, **The Mansión** (www.the-mansion.nl), que abre sus puertas de jueves a sábado por la noche.

Anillo de los canales – Este

Cómo orientarse

La personalidad del lado este de Amsterdam difiere del resto de la ciudad; de hecho, se asemeja más a una ciudad común, con una mezcla de casas multiculturales, tiendas de moda y desarrollos urbanísticos modernos que se entremezclan con los canales y los muelles en distintos estados de uso y deterioro.

Esta divergencia se refleja en un amplio espectro de actividades, desde el cultivo de la levadura A de Heineken al de especias exóticas, y desde un museo dedicado al poderío naval del país a otro centrado en el genocidio. A su vez se pueden encontrar algunos otros museos de Amsterdam, menos conocidos pero igual de fascinantes, el zoo de la ciudad y uno de sus hoteles más de moda.

Muziekgebouw aan't IJ

PIET HEINKADE

Stedelijk Museum CS
Dijksgracht

science center NEMO

Oosterdok

U-TUNNEL

PRINS HENDRIK-KADE

Arcam **8** **10**

Scheepvaart Museum

KATTENBURGERG

KATTEN BURGERGR

Nieuwe-

Rembrandthuis

Stadhuis **Portugees Israëlitische Synagoge**

De Burcht

9 Entrepotdok

Stopera **Joods** **6** **7** **Verzets-museum**

Munttoren

AMSTEL **Historisch** **3**
Museum Willet Holthuysen
Museum **4**

Hortus **5** **Botanicus**

Geologisch Museum
Natura Artis
Mag

Weg
T'Kromhou
Museum

Tassenmuseum Hendrikje **12**

Museum Fodor

Amstelbur

14 **Hermitage Amsterdam**

Wittenberg

PLANTAGE MIDDENLAAN

St Jacob

Artis Zoo

Rijks inst

Six Collection

Amstel

Magere **2**
Brug

Bar Civitas

Dr Sarphati-huis

Museum Van Loon

Amstelkerk

Theater Carré

VIJZELGRACHT VIJZELSTRAAT

WEESPERSTRAAT

Tropenmuseu

Singelgracht
MAURITSKADE

SARPHATISTRAAT

Oosterpark

WETERINGSCHANS

MAURITSKADE

OOS

Singelgracht

F BOLSTRAAT

STADHOUDERSKADE

Nederlandse Bank

1
Heineken Experience

Pasar un día en esta zona es una buena forma de apreciar más en profundidad el carácter general de Amsterdam y su forma de relacionarse con el mundo, aunque otro motivo igual de válido es divertirse, algo muy fácil de conseguir en esta parte de la ciudad.

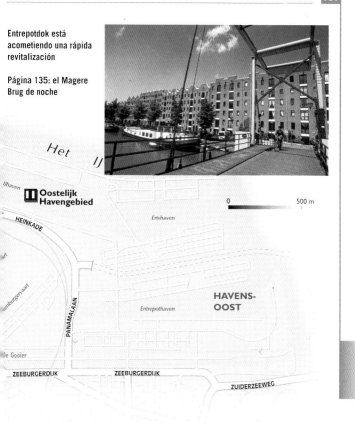

Entrepotdok está acometiendo una rápida revitalización

Página 135: el Magere Brug de noche

Anillo de los canales – Este en un día

Durante un ocupado día turístico se puede disfrutar de una muestra completa de las opciones que brinda esta zona, desde una cerveza hasta un paseo en barco.

9.00

Se pueden ver las esclusas y el precioso **2 Magere Brug** (abajo, ➤ 150) mientras se pasea por las tranquilas calles del anillo oriental de canales hasta el río Amstel.

10.00

Hora ideal para estar entre los primeros visitantes de la **1 Heineken Experience** (➤ 140–141) y asistir a una introducción al arte y la ciencia de la fabricación de la cerveza, que también se puede saborear.

12.00

Admire el Blauwbrug (puente Azul) y compruebe los nuevos desarrollos en los alrededores de Waterlooplein; después explore el antiguo Barrio Judío, incluyendo el **3 Joods Historisch Museum** (derecha, ➤ 142–143), el museo dedicado a la comunidad judía y la **4 Portugees-Israëlitische Synagoge** (➤ 150–151). Para comer, acuda a un auténtico café *kosher*.

14.30

Tómese un descanso para ver las variedades de flora del jardín botánico en el **5 Hortus Botanicus** (arriba, ► 144–145) o la fauna en el **Artis Zoo** (izquierda, ► 145).

16.00

Para continuar con una temática exótica, siga caminando hacia el sureste a través de Singelgracht para conocer cómo se vive en climas más cálidos y húmedos en el **12 Tropenmuseum** (► 153–154).

18.30

Cambie de rumbo para visitar la zona de los **muelles Orientales, 11 Oostelijk Havengebied** (► 148–149), a los que la ciudad les está imprimiendo una nueva vida. Si se está cansado, es aconsejable coger un taxi y posteriormente recompensarse con una cena temprana en Fifteen Amsterdam (► 157).

21.00

Tras haber contemplado las vistas del panorama acuático, se recomienda sentarse a disfrutar del encanto del jazz en Bimhuis o de la música clásica en **Muziekgebouw aan't IJ** (► 148).

Heineken Experience

Desde el exterior se aprecian pocos indicios de que el interior de la antigua fábrica de cerveza, situada en Stadhouderskade y propiedad de la principal compañía holandesa, se haya desmantelado y convertido en una de las atracciones turísticas más extrañas, aunque con un éxito innegable, de Amsterdam. Las puertas de la Experience cerraron una vez más con el objetivo de reformarla y mejorarla y han sido abiertas recientemente.

En diciembre de 1864, Gerard Adriaan Heineken compró una decrépita fábrica de cerveza del siglo XVI llamada De Hooiberg (El Almiar), situada tras el palacio Real. En los siguientes cuatro años trasladó su producción a una nueva ubicación, en lo que entonces era un terreno en campo abierto al sur del centro de la ciudad. Además de introducir la técnica checa de baja fermentación y supervisar el desarrollo de una robusta cepa de levaduras, el señor Heineken estableció unos estrictos controles de calidad y unas innovadoras técnicas de *marketing* (nada más y nada menos que el logo en forma de estrella roja, de reconocimiento instantáneo) que propiciaron las condiciones para pasar a una producción industrial. Hoy en día, la fábrica principal de Heineken tiene capacidad para producir una botella de cerveza para cada habitante de Amsterdam cada 45 minutos.

El logo de la estrella roja estampado en una jarra de cerveza del siglo XIX

La antigua fábrica (*brouwerij*) es el sencillo edificio que se alza en la esquina de Stadhouderskade y Ferdinand Bolstraat, donde se producía la cerveza Heineken hasta 1988, año en el que se trasladó la producción y se impulsaron las relaciones públicas y comerciales.

Se demolió parte del complejo original y se rediseñó la fábrica, que se abrió al público en 1991. Posteriormente se introdujo un nuevo cambio, hasta que en 2001 se convirtió en la Heineken Experience. Parte de la maquinaria original, como los silos de malta y las presas de cobre, sobrevivió a este desarrollo, sin embargo, la Experience fue una nueva creación, aunque diseñada para mantener un aspecto histórico.

Los visitantes pueden saciar su sed, con cerveza o algún refresco, mientras se explican las distintas fases del proceso de fabricación. La visita a las caballerizas le confiere un toque de autenticidad, y aún hoy disponen de caballos para tirar del carro con el que se sirven los repartos en Amsterdam.

La segunda mitad de la ruta es mucho más tecnológica, con paneles y pantallas en los que se expone la historia de Heineken. Para algunos visitantes, lo mejor de la ruta es la oportunidad de sentarse en un sillón para escuchar los antiguos anuncios comerciales de la marca.

UN DESCANSO

Se puede elegir entre una amplia gama de restaurantes étnicos en Van der Helststraat, que comienza justo detrás de la Heineken Experience y se prolonga hacia el sur.

Uno de los objetos de la exposición: una jarra dorada decorada con grabados en relieve

Heineken Experience
✚ 199 D1
✉ Stadhouderskade 78
☎ 020 523 9666; www.heinekenexperience.com
🚌 16, 24, 25

HEINEKEN EXPERIENCE: INFORMACIÓN ESPECÍFICA

Sugerencias Tras la reapertura de la Experience, en la entrada se incluyen cupones para degustar una o dos Heineken (o bebidas sin alcohol para aquellos que no desean cerveza).
•Lo ideal es combinar la visita a la Heineken Experience con un **paseo por los canales,** ya que estas rutas salen de Stadhouderskade, justo enfrente de la entrada principal (➤ 84).

Curiosidades En la entrada se recomienda buscar un ejemplo de una solidaria campaña fallida desarrollada en la década de 1960: la **WoBo** (abreviatura de *world bottle*), diseñada con forma cúbica para que pudiese usarse como ladrillo. La idea era que, una vez que se consumiese su contenido, se pudiesen agrupar las botellas y usarlas para construir viviendas de bajo coste en países menos desarrollados. Desafortunadamente, el intenso sol tropical hacía de estas viviendas de vidrio lugares insoportablemente calurosos para ser habitados, por lo que no hubo más remedio que retirarlas.

Joods Historisch Museum

El Museo de Historia Judía se asienta sobre un complejo de cuatro sinagogas *ashkenazi* que datan del período comprendido entre 1670 y 1778, construidas a base de cristal y acero. En él se trata de explicar todo lo referente a este pueblo, desde los principios del judaísmo hasta la importancia de los judíos en la vida comercial de Amsterdam. Su lema está extraído del Talmud de Babilonia: "La visibilidad conduce al recuerdo, el recuerdo conduce a los hechos".

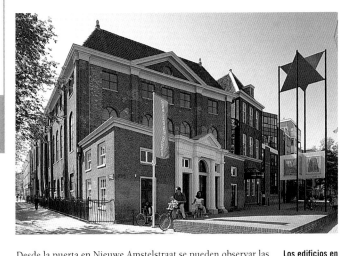

Desde la puerta en Nieuwe Amstelstraat se pueden observar las elegantes estructuras que conforman el museo. En el exterior se alzan dos enormes triángulos amarillos enmarcados, cuyas siluetas dan forma a una estrella de David dorada, símbolo que los nazis impusieron a los judíos durante la II Guerra Mundial.

Los edificios en los que se alza el museo están entre los más elegantes de Amsterdam

Aunque fundado en 1932, el museo abrió de nuevo sus puertas para conmemorar su 75 aniversario en febrero de 2007, tras someterse a una remodelación y ampliación exhaustivas. La ubicación original del museo era una antigua casa de pesaje (hoy en día el café In de Waag ► 72), y se trasladó a su lugar actual en 1987.

El centro del complejo es la **Grote Synagoge** del siglo XVIII, que alberga una introducción al judaísmo y a la tradición judía. Aquí se exhibe una exposición permanente que explica la religión y sus símbolos. En una sala lateral se muestra un baño ritual, para ilustrar la tradición que considera sucias o impuras

El arca sagrada es una pieza clave del legado judío en la ciudad

a las mujeres durante la menstruación, de modo que se les prohíbe el sexo durante estos días y los siete posteriores y a veces se les exige una inmersión.

Las **galerías** de la planta superior exponen la vida de los judíos en Holanda entre 1600 y 1900: a pesar del talante liberal de la ciudad, los judíos tuvieron que enfrentarse frecuentemente al antisemitismo (► Un nuevo Jerusalén, 18–19).

En 1752 se construyó la **Nieuwe Synagoge,** reproduciendo el que se pensaba que era el diseño del segundo templo de Jerusalén; además, la magnífica cúpula se restableció en el año 2000. En estas galerías continúa la historia de la vida judía en Holanda partiendo de 1900 en adelante. En la tienda de la planta inferior se pueden encontrar objetos relacionados con el judaísmo, mientras que en la planta superior, una sala de grabados exhibe únicamente delicados escritos y dibujos.

La **Obbene Shul,** añadida en 1685 y en su origen destinada a los fieles más modestos, alberga en la actualidad un museo infantil, dirigido a niños de entre 8 y 12 años.

El museo también analiza el crecimiento del movimiento sionista, nacido en el siglo XIX, que proclama la creación de una patria judía permanente en Israel.

UN DESCANSO

El **café del museo** dispone de una mesa de lectura llena de revistas y libros de cocina judíos, así como de ordenadores conectados a Internet con vínculos a portales de interés para la comunidad judía.

Joods Historisch Museum
🔹 200 B2 ✉ Nieuwe Amstelstraat 1 ☎ 020 531 0310; www.jhm.nl
🕐 Todos los días 11.00–17.00, ju hasta 21.00. Cerrado el Día del Perdón y el Año Nuevo Judío 🚇 Waterlooplein
🚌 9 y 14. El Canal Bus para en un lugar adyacente al Blauwbrug, 200 m al oeste del museo
💰 Moderado; gratuito con las tarjetas Museumjaarkaart y I amsterdam Card

---

JOODS HISTORISCH MUSEUM: INFORMACIÓN ESPECÍFICA

Sugerencias Pasando la taquilla hay **audioguías gratuitas** disponibles, que proporcionan un valor añadido a la visita.
• Para conocer más detalles sobre la comunidad judía de Amsterdam, se puede usar el **Centro de Recursos,** abierto lu–vi 13.00–17.00.

Hortus Botanicus

La calma de este jardín, unida a su intenso y agradable aroma, es ideal para abstraerse de la ciudad, aunque para aquellos que esperen una explosión de colores es más recomendable la excursión a los campos de tulipanes (►170–171).

En 1638 el jardín botánico de la ciudad comenzó siendo una colección de hierbas medicinales, el Hortus Medicus, con propósitos farmacéuticos, hasta que en 1682 se trasladó hasta su ubicación actual. Las nuevas especies de flora que la Compañia Holandesa de las Indias Orientales traía de sus expediciones por todo el mundo propiciaron su rápida expansión.

La colección queda dividida en un jardín exterior, donde crecen las plantas árticas o de clima templado, y una serie de invernaderos. Hay una reconstrucción del propio Hortus Medicus original, en el que se incluyen todas las plantas inscritas en el catálogo del primer jardín, realizado en 1646. A continuación, están la **sala del desierto de California/México,** un invernadero de **orquídeas** y una **casa de mariposas**.

Si se sigue el sentido de las agujas del reloj, se llega a la maravillosa **sala de las palmeras,** una amplia y adornada estructura del siglo XIX cuyo principal encanto es una cicadácea tricentenaria que aún sigue produciendo conos.

En el otro extremo, el **invernadero de los tres climas** constituye una adición de finales del siglo XX, construido de forma experta para permitir a los visitantes experimentar las distintas zonas climáticas (tropicales, subtropicales y desérticas) gracias a un sendero secuencial. El principal punto de interés de la sección desértica es la *welwitschia mirabilis,* conocida como

El Hortus Botanicus es una mezcla de jardines exteriores e invernaderos interiores

Derecha: en el invernadero de los tres climas se experimenta el cambio de condiciones desde el clima desértico al tropical

Artis Zoo

El curioso nombre del zoo de Amsterdam deriva del latín *artis natura magistra*, que significa *naturaleza, maestra de las artes*. Se ha añadido en el zoo un **pabellón de mariposas**, que contrasta con el popular **recinto de los lobos**, donde estos poderosos caninos vagan por una especie de bosque europeo primitivo mientras los atónitos espectadores los observan desde una pasarela.

➕ 201 D2 ✉ Plantage Kerklaan 38–40 ☎ 020 523 3400;
www.amsterdamzoo.nl 🕐 Todos los días 9.00–17.00 (en verano, también 17.00–18.00) 🍴 Café restaurante 🚋 9 💰 Caro

Abajo: la sala de las palmeras

fósil viviente, ya que puede vivir 2.000 años y aun así sólo produce dos hojas en toda su vida. En la sección tropical se exhibe una urna de Ward, un armazón hermético de madera y cristal que inventó en 1829 el inglés Nathaniel Ward para mejorar la supervivencia de plantas tropicales poco comunes en los largos trayectos marítimos hasta Amsterdam.

UN DESCANSO

Para escapar del calor de los invernaderos se recomienda acudir al **Orangery**, actualmente convertido en café.

Hortus Botanicus
➕ 200 B2
✉ Plantage Middenlaan 2
☎ 020 625 9021; www.dehortus.nl
🕐 May–oct: todos los días 9.00–17.00 (sá, do y festivos hasta 22.00); jul–ago hasta 21.00; resto del año 9.00–14.00 (sá, do y festivos hasta 22.00). Cerrado 1 ene, 25 dic
🚋 6, 9, 14
🍴 Café Orangery (€). Restaurante abierto por las noches sólo jul, ago
💰 Moderado

HORTUS BOTANICUS: INFORMACIÓN ESPECÍFICA

Sugerencias Es difícil encontrar la **entrada al jardín,** ya que se esconde tras una verja en la esquina de Plantage Middenlaan y Dr. D. M. Sluyspad, frente a Herengracht.
• En la puerta de entrada se pueden **coger planos**; durante el recorrido los nombres de las especies están señalados en holandés y latín.
• Los domingos, por un precio extra adicional, ofrecen **visitas guiadas a las 14.00.**
• Los fines de semana de verano hay una gran afluencia. Normalmente está más tranquilo por las **mañanas temprano,** sin embargo, en los calurosos días de verano, las plantas no atraviesan su mejor momento.

Scheepvaart Museum

El espléndido Museo Marítimo narra la historia de cómo Amsterdam llegó a convertirse en el puerto más importante del mundo: el centro de una flota mercante que instigó y controló una gran parte del comercio mundial y que marcó para siempre el carácter de la ciudad.

El edificio en sí resulta más atractivo si se observa desde la Ciudad de las Ciencias NEMO, para apreciar la simplicidad y la simetría del antiguo arsenal naval que alberga hoy en día el museo.

En lo que respecta a su colección, la mayor parte está formada por embarcaciones del siglo XVII y XVIII, la Edad de Oro de la flota mercante de Amsterdam, así como de su vida cultural. Se exponen además varias pinturas de famosas victorias navales de Holanda. Entre sus objetos más cautivadores destaca un mapamundi realizado en 1648, en el que se confirma que los holandeses conocían la existencia de Australia mucho antes de que el capitán Cook la descubriese, ya que aparece marcada en el mapa como *Hollandia Nova, detecta 1644*. También hay maquetas de barcos impresionantes, además de navíos reales, entre los que se encuentra una barcaza del siglo XVIII en excelente estado de conservación.

En un antiguo depósito naval se alza uno de los museos más interesantes de Amsterdam

En el siglo XIX el comercio y la tecnología estaban en pleno desarrollo, y comenzaron a aparecer veleros bastante efectivos, conocidos como *tarrinas de mantequilla*, así como a perfeccionarse las técnicas de navegación a vela de alta velocidad. Durante medio siglo aproximadamente, el clíper vivió su propia edad de oro, aunque de forma fugaz, ya que el barco de vapor se encontraba ya entonces en desarrollo, aunque resultaba algo más lento. La finalización del canal de Suez en 1869 cambió las reglas del juego y desencadenó el hundimiento, en términos comerciales, de la flota de mercantes clíper.

Con el desarrollo de compañías navieras como Holland-America Line, la fuerza marítima holandesa resurgió rápidamente. Se extendió un gran número de rutas: algunas de ellas unieron Holanda a sus colonias, mientras que otras aprovecharon los vacíos del mercado global para crear vínculos con otras naciones.

Durante la remodelación, sólo permanece abierta una parte de la colección del museo. La réplica a tamaño real del **De Amsterdam**, un alto navío perteneciente a la Compañía Holandesa de las Indias Orientales, que normalmente se encuentra atracado a la entrada del museo, ha sido trasladado temporalmente al otro lado de Oosterdok. En él se puede visitar el puente de mando, la bodega y, lo que la mayoría de la gente considera más interesante, los camarotes.

UN DESCANSO

Hasta que el museo y su café vuelvan a abrir sus puertas, se puede visitar alguno de los cafés que rodean **Entrepotdok** (► 153).

Scheepvaart Museum

🔲 201 D3 ✉ Kattenburgerplein 1
☎ 020 523 2222; www.scheepvaartmuseum.nl
🕐 *De Amsterdam:* ma–do 10.00–17.00 (mitad jun–mitad sep, también lu). Cerrado 1 ene, 30 abr, 25 dic. Hasta que vuelva a abrir el museo, De Amsterdam está ubicado junto a la Ciudad de las Ciencias NEMO
🚌 Nº 22 y 42 llevan desde Centraal Station hasta el museo
⛴ La mejor forma de llegar al museo es mediante el Museumboot, que para en un pequeño muelle cercano. Véase página 39 para más datos
🚉 Centraal Station está a 15 minutos a paso rápido
💶 Económico; descuento con la entrada de NEMO

SCHEEPVAART MUSEUM: INFORMACIÓN ESPECÍFICA

Sugerencias A bordo del *De Amsterdam* suele haber actores caracterizados con **trajes de época** para enriquecer el ambiente, incluso se les puede oír cantar canciones de marineros tradicionales.

• En el barco hay que tener **cuidado con la cabeza** a no ser que se mida menos de 1 m.

• Mientras el Scheepvaart permanece cerrado, se pueden adquirir **recuerdos de su tienda** a través de la página web del museo.

• Para aquellos a los que les fascine la temática naval, la ciudad celebra un festival cada cinco años, el **festival Sail Amsterdam** (www.sail.nl), en el que se reproducen cientos de barcos históricos, así como la flotilla de un velero. Además, se ofrece un completo programa cultural en el que se incluyen productos alimenticios y artesanía de muchos países bañados por mares de todo el mundo.

Oostelijk Havengebied

Las penínsulas e islas creadas artificialmente por el hombre y que componen los muelles Orientales (Oostelijk Havengebied) se construyeron a finales del siglo XIX y principios del XX. En la década de 1950 los puertos no tenían la suficiente profundidad ni longitud para satisfacer las necesidades de los barcos contenedores, cada vez mayores, por lo que comenzaron a caer en desuso. A finales de la década de 1980 habían quedado totalmente desiertos, por lo que se llenaron de almacenes en ruinas y fueron objeto de una ocupación ilegal masiva. Desde entonces, la zona ha vuelto a experimentar un nuevo desarrollo: los arquitectos más innovadores han diseñado bloques de apartamentos y casas de estética poco convencional y los almacenes se han convertido en tiendas, restaurantes y discotecas.

La zona es demasiado extensa para recorrerla cómodamente a pie, por lo que se recomienda alquilar una bicicleta: existe carril bici por todos sitios y muy poco tráfico motorizado.

Partiendo de Centraal Station y siguiendo hacia el este por Piet Heinkade, se pasa por la puerta de la impresionante nueva sala de conciertos a orillas del río, el **Muziekgebouw aan't IJ** (► 160), así como por la terminal de pasajeros, con su peculiar forma de ola. Pasando por debajo de la bodega De Zwijger y cruzando el puente hacia Java-eiland, el carril bici cruza los canales en los que se alinean las nuevas versiones del siglo XXI partiendo de las antiguas casas del XVII. A continuación, Java-eiland se fusiona con KNSM-eiland, dominada por unos amplios complejos de apartamentos a gran escala. El complejo Barcelona, situado en Levantkade, cuenta con un patio semicircular cuyo diseño trata de imitar el interior de una ópera, con los balcones actuando como palcos.

Desde Levantkade se vislumbra perfectamente el complejo residencial Whale, situado en Sporenbourg, con su forma asimétrica cubierta de zinc gris. Cruzando el provocativo Pythonbrug, con su característico color rojo, en el extremo oriental de Sporenburg se llega a Scheepstimmersmanstraat, en Borneo-eiland. A los propietarios que adquirieron estos terrenos se les permitió crear sus propios diseños, por lo que muchas de las casas son bastante llamativas: el nº 80–82 tiene la fachada cubierta de placas de acero mientras que el nº 120 se ha construido en torno a un árbol.

Siguiendo por Oostelijke Handelskade se encuentra el Lloyd Hotel (► 42), construido en 1921 como pensión para los emigrantes de la Europa del Este que perseguían el sueño americano, convertido hoy en emblema turístico de esta zona.

El Muziekgebouw aan't IJ se alza a orillas del agua

UN DESCANSO

En su entrada principal, el **Lloyd Hotel** cuenta con un tranquilo y apetecible bar, café y restaurante. Algo más arriba se encuentra **Koffiehaus KHL** (tel: 020 779 1575; www.khl.nl), un café con atmósfera que data de la misma época que el Lloyd. También se puede considerar el **Café-restaurant Star Ferry** (➤ 155), situado en el Muziekgebouw.

Oostelijk Havengebied
➕ 201 E5

Muziekgebouw aan 't IJ
➕ 201 D5 ✉ Piet Heinkade 1
☎ 020 788 2010; www.muziekgebouw.nl

OOSTELIJK HAVENGEBEID: INFORMACIÓN ESPECÍFICA

Sugerencias El lugar más práctico de alquiler de bicicletas es **MacBike** (tel: 020 620 0985; www.macbike.nl; abierto todos los días 9.00–17.45), en el extremo oriental de Centraal Station.
• En **Arcam** (➤ 152) se venden mapas arquitectónicos detallados de los puertos. Algunos tranvías unen la Centraal Station con los muelles Orientales. El **nº 26** pasa por el Lloyd Hotel y el **nº 42** atraviesa y recorre Java-eiland y KNSM-eiland.

Otras opciones

2 Magere Brug

El puente Flaco es el más repetido en las fotografías de Amsterdam. Según una leyenda local, lo construyeron dos hermanas cansadas de tener que hacer un camino tortuoso desde su casa en Kerkstraat, el extremo occidental del actual puente, hasta las caballerizas situadas en la lejana orilla del río Amstel. Una versión cuenta que el apodo de las hermanas era Mager, que significa *flaca*, y de ahí el nombre del puente, mientras que otra atribuye el nombre al diseño del puente original.

El puente actual es una versión posterior del siglo XX, aunque sus proporciones siguen siendo curiosas.

El estrecho Magere Brug

Desde el lado sur se pueden observar las compuertas, que permiten renovar parcialmente el agua de los canales para mantener un aire saludable en la ciudad.

➕ 200 A1 🚋 Línea 4 dirección Utrechtsestraat, un bloque más al oeste

4 Portugees Israëlitische Synagoge

El año 1492 fue muy importante para España, no sólo porque Cristóbal Colón desembarcase en el Nuevo Mundo en nombre de la Corona española, sino también por la expulsión de los judíos de su territorio. Algunos de ellos se convirtieron al cristianismo para quedarse en el país, pero muchos otros tuvieron que huir a Portugal.

Cuando la incesante persecución les obligó a huir de la Península para buscar refugio en Holanda, se autodenominaron judíos portugueses, ya que España estaba en aquella época en guerra con Holanda. De ahí que su nuevo lugar de oración recibiese el nombre de sinagoga Portuguesa.

La diseñó Elias Bouwman, quien también se hizo cargo de la construcción de la Grote Synagoge, que compone actualmente el Museo de Historia Judía (➤ 142) y se alza enfrente. Al contrario que el museo, la sinagoga Portuguesa sigue ostentando la función de lugar de oración y por tanto existe una estrecha vigilancia: los visitantes masculinos están obligados a llevar el *yarmulke* (la *kippa*), que es posible solicitar en la taquilla.

La mejor forma de comenzar la visita es con el vídeo explicativo, donde se recoge el crecimiento de la comunidad sefardí de Amsterdam. La estructura principal es un lugar amplio, luminoso y ventilado, que en la fecha de su finalización, 1675, constituía la más grande de Europa. Su tejado de madera se apoya sobre cuatro enormes columnas de piedra y la iluminación emana de las velas colocadas en grandes candelabros dorados. El **arca sagrada** está realizada con madera de jacarandá procedente de Brasil.

🚉 200 B2 ✉ Mr. Visserplein 3
☎ 020 624 5351; www.esnoga.com
🕐 Todos los días 10.00–16.00, excepto sá y festivos judíos
🚋 Waterlooplein
🚌 9, 14
💰 Moderado

🟤 De Burcht

Este edificio, anteriormente llamado Nationaal Vakbondsmuseum, también es conocido como centro de relaciones laborales. El desarrollo sindical en Holanda fue lento y no contó con una revolución industrial de la talla de las de Gran Bretaña o Alemania. Los pioneros fueron los trabajadores del sector de los diamantes, cuyo sindicato encargó, a principios del siglo XX, a H. P. Berlage la construcción de su nueva sede en la actual calle Henri Polaklaan (el señor Polak era el presidente del sindicato de trabajadores de diamantes). Posiblemente, la estructura de De Burcht es más llamativa que su contenido, con un impresionante exterior y un opulento interior lleno de grandes diseños realizados por artistas importantes de la época. Los objetos expuestos, además, son de interés principalmente para estudiantes de historia laboral o sindicalistas activos que busquen una perspectiva internacional.

🚉 200 C3 ✉ Henri Polaklaan 9
☎ 020 624 1166 🕐 Ma–vi 11.00–17.00, do 13.00–17.00
🚋 La línea 6 para cerca de Plantage Parklaan; en dirección opuesta, la parada más cercana es la de Plantage Middenlaan, un bloque más al sur
💰 Económico; gratuito con la tarjeta Museumjaarkaart y descuentos para miembros sindicales acreditados

🄇 Verzetsmuseum

La ocupación de Holanda por parte de los nazis se prolongó durante 5 años menos 5 días, que supusieron un periodo desesperadamente traumático para los holandeses. Amsterdam, que seguramente tenía la mayor población de judíos, fue la ciudad que más sufrió esta ocupación y la que más resistencia presentó contra las fuerzas alemanas. El principal objetivo del Museo de la Resistencia Holandesa es mostrar la lucha contra la ocupación nazi desde 1940 a 1945, aunque contiene muchos más datos, incluyendo el gran sufrimiento de las Indias Holandesas Orientales bajo la opresión japonesa.

Se ubica en el edificio Plancius, construido en 1876 como club social para la Oefening Baart Kunst, una coral judía.

Este museo complementa de forma importante la Anne Frank Huis, describiendo un contexto más amplio de la ocupación. Los ciudadanos holandeses ocultaron a miles de compañeros judíos, mientras que a otros muchos los sacaron del país o les proporcionaron identidades falsas.

Se recogen los conmovedores acontecimientos de febrero de 1942, cuando se convocó una huelga general en protesta por la ofensiva nazi contra los judíos, así como el terrible Invierno del Hambre (1944–1945) y las recompensas que se ofrecían a los holandeses que colaboraban con las fuerzas de ocupación: por cada lugar clandestino que se revelaba, ofrecían una recompensa de 7 florines, sustanciosa suma para una Amsterdam en guerra.

🔲 200 C2 ✉ Plantage Kerklaan 61 ☎ 020 620 2535; www.dutchresistancemuseum.org 🕐 Ma–vi 10.00–17.00, sá–lu y festivos 11.00–17.00. Cerrado 1 ene, 30 abr y 25 dic 🚋 Las líneas 9 y 14 paran delante del Artis Zoo, cruzando en diagonal la calle 🎫 Moderado; gratuito con la I amsterdam Card

🄈 Arcam

Este fantástico centro de arquitectura a orillas del río y vistas a Oosterdok es el lugar ideal para descubrir el aspecto de Amsterdam en el futuro. El sorprendente y brillante edificio se alza desde el agua como un fragmento del complejo NEMO, de mayor tamaño, y que realmente fue su origen. Además de disfrutar del espacio en sí, también se pueden averiguar qué promociones se están desarrollando en la capital y sus alrededores. Como ayuda, el centro facilita un folleto con varias rutas por los muelles Orientales (▶ 148–149).

🔲 200 C3 ✉ Prins Hendrikkade 600 ☎ 020 620 4878; www.arcam.nl 🕐 Ma–sá 13.00–17.00 🚋 22 🎫 Gratuito

El Verzetsmuseum conmemora la resistencia holandesa durante la II Guerra Mundial

🔟 Entrepotdok

Además de los muelles Orientales (► 148–149), en la actualidad se están rehabilitando otros antiguos muelles como cafés, estudios de artistas y viviendas de lujo. El Entrepotdok fue la zona franca propia de la ciudad, fuera del alcance de las autoridades aduaneras, donde se podían embarcar y desembarcar mercancías siempre que no atracasen en territorio holandés. Durante el siglo XIX se convirtió en el muelle más rico de la ciudad. Es especialmente agradable en las tardes de verano, con su lado suroeste lindando con el agua.

🔢 201 D3 ✉ Entrepotdok
🕐 Acceso libre 🍴 Varios cafés
(€€–€€€) 🚌 La línea 6 para en la puerta del Artis Zoo (► 145); en dirección opuesta, la parada más cercana es la de Plantage Middenlaan, un bloque más al sur de la entrada al zoológico 🎫 Gratuito

🔟 Tassenmuseum Hendrikje

El Museo de los Bolsos y Monederos, trasladado en 2007 desde su antigua ubicación en Amstelveen a esta grandiosa casa a orillas del canal, dispone de una extraordinaria colección de bolsos occidentales conservada desde la Edad Media hasta hoy en día. Aquí pueden observarse monederos del siglo XVI, *chatelaines* (cadenas de las que las damas nobles colgaban sus llaves y su Biblia) del siglo XVII y toda una selección impresionante de diseños del siglo XX: incluso en forma de revista, teléfono o reloj.

🔢 199 E3 ✉ Herengracht 573 ☎ 020 524 6452; www.tassenmuseum.nl
🕐 Todos los días 10.00–17.00. Cerrado 1 ene, 30 abr, 25 dic 🍴 Café del museo (€) 🎫 Moderado

Nuevos proyectos para un viejo puerto: el Entrepotdok se está moviendo hacia el sector de viviendas de lujo

El Tropenmuseum es un lugar política y medioambientalmente correcto

concentra en Asia y Oceanía, particularmente en la India y sus vecinos e Indonesia. Desde la segunda planta se hace patente el sorprendente diseño del museo, con un arco de cristal que recorre la *entrada*. En ella se exponen los trabajos relativos a América Latina (especialmente el Caribe y Surinam) y África. El ala Kartini alberga el Tropenmuseum Junior, dirigido a niños de entre 6 y 12 años.

➕ 201 E1 ✉ Linnaeusstraat 2 ☎ 020 568 8200; www.tropenmuseum.nl ⏰ Todos los días 10.00–17.00; cerrado 1 ene, 30 abr, 5 may y 25 dic 🍽 Ekeko Restaurant dispone de comida de todo el mundo; el café cuenta con una terraza exterior (€) 🚋 3, 7, 9, 10, 14 💰 Moderado; gratuito con la Museumjaarkaart o la I amsterdam Card

🔢 Tropenmuseum

Se trata de una estructura ecléctica de principios del siglo XX diseñada por J. J. y M. A. van Nieukerken, con una clara influencia gótica. El edificio se inauguró en 1923 como sede del Vereeniging Kolonial Institut, el actual Instituyo Tropical Real. Una de sus funciones es gestionar el museo más políticamente correcto de Amsterdam. Su colección incluye tanto las artes visuales modernas y tradicionales, como la fotografía.

Aunque una gran parte de la exposición se ordena geográficamente –con una atención especial a las antiguas colonias holandesas–, comienza en la planta baja con una muestra sobre el hombre y el medio ambiente, destacando principalmente la profanación de los bosques ecuatoriales. La primera planta se

🔢 Hermitage Amsterdam

El anexo holandés del Hermitage de San Petersburgo, famoso por su fabulosa colección artística, está en proceso. La fase uno se sitúa en Nieuwe Herengracht y la fase dos en el Amstelhof del siglo XVII.

➕ 200 B2 ✉ Nieuwe Herengracht 14 ☎ 020 530 8751; www.hermitage.nl ⏰ Todos los días 10.00–17.00 durante exposiciones. Cerrado 1 ene, 30 abr, 25 dic 🚋 6 💰 Moderado; gratuito con la I amsterdam Card

Dónde...
comer y beber

Precios

Precio aproximado de una comida, bebidas excluidas:
€ menos de 20 €   €€ 20-40 €   €€€ más de 40 €

CAFÉS Y BARES

Backstage €

El inmortal Gary Christmas formaba parte del dúo de cabaré Christmas Twins, junto a su hermano Greg, que murió hace unos cuantos años. En la actualidad, ofrece conversación y consejos astrológicos tanto a los extranjeros como a su consagrada clientela local en este minúsculo café, que se ha convertido en una especie de institución en Amsterdam. Su especialidad es el sándwich caliente de atún, basado en una receta secreta.

✚ 199 F2   ✉ Utrechtsedwarsstraat 67   ☎ 020 622 3638   ⏰ Lu–sá 10.00–17.30

Bagels & Beans €

Para aquellos que estén visitando el mercado Albert Cuyp, este popular café diurno es ideal para desayunar o almorzar. El plato fuerte son sus roscas, rellenas de queso para untar, queso holandés o combinaciones como plátano y sirope de arce. Otras de sus especialidades son las magdalenas, el café y unos deliciosos zumos de frutas. Cuando el tiempo lo permite, montan una gran terraza al aire libre.

✚ Fuera del plano 199 D1   ✉ Ferdinand Bolstraat 70   ☎ 020 672 1610   ⏰ Lu–vi 8.30–17.30, sá–do 9.30–18.00

Brouwerij 't IJ €

Merece la pena visitar este molino de viento situado en la parte oriental de Amsterdam, cerca del Museo Marítimo y del Tropenmuseum. Se trata de una fábrica de cerveza in situ que dispone de, al menos, cuatro tipos de cerveza de grifo, con un contenido de alcohol que oscila entre el 5% y el 9%. Su interior es una sencilla sala de cervezas con una barra sin demasiadas florituras y unos cuantos taburetes de madera, además de un alambique gigante al fondo. Cuando hace buen tiempo, muchos de sus clientes prefieren sentarse a orillas del agua. Aunque sólo tienen cacahuetes, en el café de al lado sirven tapas.

✚ 201 F2   ✉ Funenkade 7   ☎ 020 622 8325; www.brouwerijhetij.nl   ⏰ Mi–do 15.00–20.00

Café-Restaurant Star Ferry €€

Lo que destaca del Star Ferry, situado en el Muziekgebouw aan't IJ (▶ 148), es el diseño, la decoración y las vistas. No obstante, su comida de influencias asiáticas y su servicio, que no llega a ser perfecto, no han hecho demasiados amigos, por lo que es mejor disfrutar de las fantásticas vistas delante de un refresco o una taza de café.

✚ 201 D5   ✉ Piet Heinkade 1   ☎ 020 788 2090   ⏰ Todos los días 10.00–24.00

De Druif €

Desde 1631 lleva aquí este bruin café, cuyas paredes color mostaza, las hileras de antiguas barricas de licor y el grifo de jenever de la barra revelan su edad. En gran parte, es un sitio para gente local, a pesar de que linda con la entrada al Entrepotdok (se pueden ver las barcazas a su espalda).

✚ 200 C3   ✉ Rapenburgerplein 83   ☎ 020 624 4530   ⏰ Do–ju 12.00–1.00, vi, sá hasta 2.00

Hooghoudt €-€€

La planta baja estilo bodega de este almacen del siglo XVII tiene una doble identidad. Al principio se situa el bar de degustación de la destilería Hooghoudt de Groningen, con todas sus *jenevers* y licores acumulados detrás de la barra. En la parte trasera tiene una pequeña zona comedor, donde se pueden disfrutar platos holandeses como estofado de ternera con salsa de vino tinto y *jenever*.

+ 199 E3 ⊠ Reguliersgracht 11
☎ 020 420 4041;
www.hooghoudtamsterdam.nl
🕐 Todos los días 17.00–24.00

De Kroon €-€€

Uno de los *grand cafés* más solemnes y de moda de la ciudad. En la primera planta tiene una terraza acristalada con vistas a la plaza. La decoración se compone de pinturas modernas realizadas por artistas locales, un lujoso mobiliario de terciopelo y artefactos relacionados con la historia natural. Aunque su comida ecléctica

es bastante ambiciosa, no siempre convence. Sin embargo, es perfecto para tomar un cóctel o un café.

+ 199 E3 ⊠ Rembrandtplein 17
☎ 020 625 2011 🕐 Do–ju
12.00–1.00, vi, sá hasta 3.00

Oosterling €

El pedigrí de Oosterling es indiscutible: ocupa un edificio de 1735 que fue en su día propiedad de la Compañía Holandesa de las Indias Orientales. La familia Oosterling lleva vendiendo bebidas en este lugar desde 1879. Las mesas son viejos barriles, que también se amontonan tras la larga encimera de granito de la barra. También funciona como tienda al por menor.

+ 199 F2 ⊠ Utrechtsestraat 140
☎ 020 623 4140 🕐 Lu–sá
12.00–1.00, do 13.00–20.00

De Wetering €

Un antiguo y coqueto *bruin café* cerca de las pequeñas tiendas de antigüedades del Spiegelkwartier y el Rijksmuseum. En la planta baja,

donde está la barra, no dispone de asientos, mientras que en la planta superior el suelo está cubierto de arena. En invierno arde la leña en una chimenea.

+ 199 D2 ⊠ Weteringstraat 37
☎ 020 622 9676 🕐 Do–ju
16.00–1.00, vi, sá 16.00–3.00

Xtracold €-€€

El primer bar de hielo de Holanda. Por una entrada de 15 €, se pueden coger un abrigo y unos guantes e introducirse en un bar fabricado con 60 toneladas de hielo. Todo está compuesto de hielo: las mesas, chimenea y ventanas, además de los tulipanes, que se engarzan en bloques de hielo. La entrada incluye una cerveza o un cóctel de vodka. La espera a la visita al Xtracold de hielo tiene lugar en un bar normal con una decoración *kitsch* bastante convencional

+ 199 F3 ⊠ Amstel 194–196
☎ 020 320 5700; www.xtracold.com
🕐 Do–ju 14.00–1.00, vi–sá
14.00–3.00

Amstel Intercontinental €€€

El hotel más elegante de Amsterdam es el lugar ideal para darse un lujo. Se puede elegir entre disfrutar de un té con deliciosos sandwiches o pasteles en el salón del jardín de invierno o una comida en la Amstel Brasserie, decorada en un estilo biblioteca. Si realmente se quiere tirar de la casa por la ventana, se puede pedir una mesa en La Rive (se requiere traje de chaqueta). Este restaurante tiene el aire de salón comedor de un gran cortijo y dispone de un servicio impecable a la altura de sus platos. Tanto el salón como los restaurantes tienen vistas al río.

+ Fuera del plano 200 B1
⊠ Prof Tulpplein 1 ☎ 020 622 6060;
www.amsterdam.intercontinental.com
🕐 Lu–vi 15.00–18.00, sá, do
13.00–15.00, 16.00–18.00. Amstel
Brasserie: todos los días 12.00–15.00.
La Rive: lu–vi 12.00–14.00,
18.30–22.30, sá 18.30–22.30

An €

Este barato café japonés, sin demasiados adornos, se situa cerca de la Heineken Experience y dispone de un extenso menú que incluye desde auténtico *sushi* a *teriyaki*, además de una amplia gama de opciones vegetarianas. El té japonés es gratuito.

✚ 199 E1 ✉ Weteringschans 76 ☎ 020 624 4672; www.japanrestaurantan.nl ☯ Ma-sá 18.00–22.30

Artist Libanees Restaurant €-€€

Un antiguo artista de cabaré, Simon, gestiona este restaurante, ofreciendo cocina libanesa auténtica a unos precios razonables. Para comer cuatro personas, se puede pedir *mezes* (entrantes calientes y frío), pero los grupos más pequeños deben pedir a la carta. La oferta incluye desde cordero a quingombó. Se recomienda el *baba ghanouj* o puré de ajo con pan de pita caliente. También tienen vino libanés.

✚ 199 F1 ✉ Tweede Jan Steenstraat 1 ☎ 020 671 4264 ☯ Todos los días 11.00–24.00

Bazar €-€€

Este café, bar y restaurante de temática medieval se alza en una antigua iglesia. Aunque la comida resulta fiable, el escenario es el atractivo principal. Disponen de asientos en el balcón del entresuelo.

✚ Fuera del plano 199 E1 ✉ Albert Cuypstraat 182 ☎ 020 675 0544; www.bazaramsterdam.nl ☯ Todos los días 8.00–23.00

Cambodja City €

Su sencillo escenario muestra fotos de comida en el escaparate, unos cuantos dragones de papel, un mostrador de comida para llevar y varias mesas con manteles de hule. A pesar de todo, este básico restaurante del barrio De Pijp, tiene una de las mejores comidas asiáticas de Amsterdam. Su menú se compone de platos tailandeses, camboyanos y vietnamitas, además de las cenas especiales, que se ciñen a un solo tipo de cocina

✚ Fuera del plano 199 D1 ✉ Albert Cuypstraat 58/60 ☎ 020 671 4930 ☯ Ma–do 17.00–23.00

Dynasty €€-€€€

Este seductor restaurante asiático suroriental ocupa la planta baja de una bonita casa con hastial situada en una conocida calle de ambiente gay. Se puede cenar a la luz de las velas bajo un techo cubierto de sombrillas de papel al revés, o bien, si el tiempo lo permite, en el jardín trasero. Su cocina cubre platos tailandeses, vietnamitas y chinos.

✚ 199 D3 ✉ Reguliersdwarsstraat 30 ☎ 020 626 8400 ☯ Mi–lu 17.30–23.00

Fifteen Amsterdam €€

En esta versión holandesa del restaurante Fifteen, del *chef* británico Jamie Oliver, la mayoría de sus platos los realizan aprendices. En un almacén decorado con paredes de hierro ondulado y *graffiti*, se puede disfrutar su menú único de cuatro platos, de una cocina italiana moderna bastante buena. También disponen de una zona *trattoria* más barata, en la que no aceptan reservas.

✚ 201 D5 ✉ Jollemanhof 9, Eastern Docklands ☎ 020 711 1567; www.fifteen.nl ☯ Lu–sá 18.00–23.00 (trattoria desde 17.30), do 15.00–18.00

Okura Hotel €€€

Este hotel de propiedad japonesa se ha ganado una merecida reputación por servir la mejor comida japonesa de Holanda en sus restaurantes Yamazato y Sazanka. El Yamazato se especializa en *sushi* y *tempura*, preparados a un nivel muy superior al del resto de restaurantes fuera de Japón. Sus menús temáticos varían según la estación, y pueden incluir bogavante o, en temporada, carne de caza. Su alto precio vale la pena no solo por su calidad, sino también por su peculiar interpretación. Suele estar frecuentado por japoneses en visita de negocios. Antes o después de la cena, se puede subir a la planta 23 para tomar una copa y apreciar las espectaculares vistas.

🚇 Fuera del plano 199 D1
⊠ Ferdinand Bolstraat 333 ☎ 020 678 7111; www.okura.nl
🕓 Yamazato: todos los días 12.00–14.00, 18.00–21.30. Sazanka: todos los días 18.30–22.00

Proeflokaal Janvier €€–€€€

Desde la sombreada terraza exterior de este bar de degustación se dominan las casas flotantes y los antiguos edificios con hastiales. El interior da cobijo una cripta de una iglesia de madera del siglo XVII. El foco de atención son sus platos franceses, con toques divertidos. Se puede elegir entre seis *fondues* diferentes, incluyendo la de chocolate.

🚇 199 E2 ⊠ Amstelveld 12 ☎ 020 626 1199; www.proeflokaaljanvier.nl
🕓 Ma–do 12.00–15.00, 16.00–24.00 (vi, sá hasta 1.00)

Tempo Doeloe €€

Recomendable restaurante indonesio, íntimo y elegante. Su única desventaja es su popularidad: está siempre lleno y por tanto, el servicio siempre está al límite. Para entrar hay que llamar al timbre. Su cocina es auténtica (los platos marcados como *pedis* son demasiado picantes para los que no estén acostumbrados) y los *rijsttafels*, generosos y variados.

🚇 199 F2 ⊠ Utrechtsestraat 75 ☎ 020 625 6718; www.tempodoeloe.nl 🕓 Todos los días 18.00–23.30

Warung Marlon €

La zona de De Pijp es la ideal para tomar algo de cocina étnica auténtica. Una opción es este austero, pequeño y vivo restaurante de Surinam. Cabría preguntarse el motivo de su menú, especialmente platos indonesios como el *satay* y el arroz frito, pero muchos restaurantes de Surinam están

gestionados por asiáticos. Sus sopas, con huevo duro, arroz y frijoles, pueden servir como plato único.

🚇 199 E1 ⊠ 1e Van der Helststraat 55 ☎ 020 671 1526 🕓 Mi–lu 11.00–20.00

Le Zinc...et les Autres €€

En un antiguo almacén a la orilla de los canales se sitúa esta encantadora imitación de la Francia rural. Tiene una preciosa barra con encimera de zinc y un salón más amplio y brillante en la planta de arriba. Destaca sobre todo su selección de vinos y de quesos, debido a su fuerte influencia regional francesa. El variado menú del *chef* Edwin van Westrop cambia mensualmente, aunque los entrantes suelen incluir vieiras o lubina salvaje, con al menos un plato de pescado, y probablemente, entre los platos principales estén la pechuga de ganso asada o el lomo de ternera.

🚇 199 E2 ⊠ Prinsengracht 999 ☎ 020 622 9044; www.lezinc.nl
🕓 Lu–sá 17.30–23.00

Dónde... comprar

Los principales puntos comerciales de esta zona de la ciudad son las tiendas de arte y antigüedades de Spiegelkwartier, el turístico y colorido mercado de las Flores y el práctico mercado Albert Cuypmarkt.

Spiegelkwartier

Las 80 tiendas del principal distrito de bellas artes y anticuarios comercian con todo tipo de obras, desde grandes maestros hasta antigüedades y desde iconos rusos a grabados chinos.

Nieuwe Spiegelstraat, con antiguos edificios con hastiales y ventanales adornados, es probablemente la calle más bonita aparte de las que dan a los canales, y resulta ideal para dar un paseo y recorrer la zona. Comenzando por el final de Herengracht, se recomienda comprobar la programación de **De Appel** (nº 10), un centro principal de exposiciones de arte contemporáneo. **Umbria** (nº 20) dispone de urnas gigantes, tanto modernas como antiguas, procedentes de Italia y España, mientras que los joyeros **Schilling** (nº 23) tienen todo tipo de joyas, desde pendientes a espejos. En **Aronson Antiquairs** (nº 39) se pueden encontrar piezas de cerámica de Delft del siglo XVII y XVIII, y **Eduard Kramer** (nº 64) tiene una amplia selección de azulejos de Delft antiguos, así como alhajas y joyería. **Meulendijks & Schuil** (en la esquina con Kerkstraat) vende maquetas de aviones, telescopios y globos.

Nieuwe Spiegelstraat se adentra en Spiegelgracht, donde se pueden encontrar muchas de las galerías de arte moderno del barrio. En el nº 10 esta **Tinker Bell**, una excelente tienda de juguetes para niños.

Al salir de Spiegelgracht y Nieuwe Spiegelstraat están las tiendas más misteriosas, en las calles laterales paralelas a los canales. **Ria Jong** (Prinsengracht, 574) dispone de una interesante colección de antigüedades; **Anton Heyboer** (Prinsengracht, 578) comercializa juguetes antiguos, como *scooters*, muñecas y balancines en forma de caballitos de madera. Por otro lado, **Thom & Jenny Nelis** (Keizersgracht, 541) se dedica a los complementos medicinales antiguos, como balanzas o botes de farmacia.

Para ver un lugar totalmente diferente, desviándose por Kerkstraat se encuentra **Conscious Dreams Dreamlounge**, en el nº 113, la primera *smart shop* y una de las mejor informadas (▶ 46–47) que se pueden encontrar en toda Holanda.

Otras calles comerciales

Las tiendas del tramo del Singel a lo largo del mercado de las Flores venden los típicos artículos inservibles, como el Papa Noel que canta y baila o corbatas decoradas con vacas y molinos. **Maranon** (Singel 488–490) dispone de una colorida colección de hamacas. **Utrechtsestraat**, con sus antiguas *delicatessen* y sus puestos de flores y arenques en los puentes que la cruzan, es una de las calles comerciales más *chic* de Amsterdam, con varias *boutiques* de moda y galerías de arte. Merece la pena ver los objetos *retro* de **Twice As Nice** (nº 47) y **Concerto** (nº 52–60), con una gran colección de discos de segunda mano.

En Vijzelgracht se recomienda **Holtkamp**, en el nº 15, una pastelería de lujo con bombones hechos a mano y merengues en forma de cisne. **Peter Doeswijk**, en el nº 11, vende teléfonos o tazas de inodoro pintadas con diseños exclusivos.

MERCADOS

Bloemenmarkt (lu–sa 9.30–17.00, do 12.00–17.00): el mercado flotante de las Flores se extiende por el Singel, aunque no debe tomarse su típica descripción de *flotante* de forma literal. En su día, los floristas solían vender las flores desde sus barcas, aunque ahora los puestos y las floristerías están ya fijos. Aunque siempre está muy lleno, las flores recién cortadas tienen un aspecto y un aroma deliciosos; es el lugar ideal para comprar bulbos (se pueden enviar por correo) o tulipanes de madera. **Albert Cuypmarkt** (Albert Cuypstraat, lu–sa 9.00–17.00): el alma del distrito De Pijp es el mayor mercado de la ciudad, y el de carácter más general. Se extiende desde Ferdinand Bolstraat hasta Van Woustraat, a lo largo de 1 km, con 350 puestos. Se pueden encontrar frutas y verduras, arenques y anguilas, queso y aceitunas, ropa y cualquier otro artículo que se pueda imaginar. También son interesantes todas las tiendas y cafés de esta calle, aunque si se desea una comida o bebida más formal, lo mejor es dirigirse a 1e Van der Helstraat.

Dónde... divertirse

El principal centro de ocio nocturno del anillo oriental de canales es Rembrandtplein y sus calles aledañas. Por las noches esta bulliciosa plaza cuyo nombre se toma de una estatua del siglo XIX de Rembrandt queda tomada por las luces de neón y rodeada principalmente por cafés y restaurantes de segunda categoría (recomendaciones ▶ 155–158). Sin embargo, en sus terrazas al aire libre los músicos callejeros proporcionan animación. En cafés como Hof van Holland y Populair se ofrecen actuaciones improvisadas de música tradicional holandesa.

Al oeste, una de las zonas principales de ambiente es Reguliersdwarsstraat (pasando Vijzelstraat), lo que explica la abundante presencia de sex shops, discotecas, restaurantes y cafés de ambiente gay. **April** (n° 37) es uno de los cafés más populares, frecuentado por trabajadores de la zona conforme entra la noche.

DISCOTECAS

Al este de Rembrandtplein, **iT** (Amstelstraat 24; tel: 020 625 0111) es una llamativa discoteca, aunque a veces escandalosa, que se ubica en un antiguo cine. Sus críticas son bastante buenas, combinando noches mixtas con noches sólo gay. **Escape** (Rembrandtplein 11, tel: 020 622 1111, www.escape.nl) situado en Rembrandtplein es la discoteca más grande de la ciudad,

aunque no tiene tanta fama como iT. Los sábados celebran su noche grande, llamada Framebusters: las colas son largas y se debe ir elegante para convencer a los porteros. El tecnológico y moderno **Exit** (Reguliersdwarsstraat 42, tel: 020 625 8788) es uno de los clubes de ambiente gay más populares. Por el contrario, la música *dance* de décadas específicas es la protagonista en **Club Arena** (s'Gravesandestraat 51, tel: 020 694 7444), una discoteca separada del centro de la ciudad por un trayecto de 10 minutos en tranvía y que sólo abre de viernes a domingo.

CINE

El **Tuschinski Theater** (Reguliersbreestraat 26–28, tel: 020 623 1510; www.pathe.nl) se construyó en 1921 en un estilo *art déco* sobresaliente. Los llamativos accesorios originales se han restaurado, y aunque se pueden ver en la entrada, se recomienda ver

cualquier película que proyecten en la Sala 1, el auditorio principal (y gigante). Comprando dos entradas se consigue un descuento, además de una copa de champán. Alguna vez se ofrecen visitas guiadas, aunque hay que contactar con el cine para saber las fechas y horarios. Si no se reserva por adelantado, los fines de semana suele haber colas.

TEATRO Y MÚSICA DE CÁMARA

Bajando por el Amstel se sitúa el **Koninklijk Theater Carré** (Amstel 115–125, tel: 0900 252 5255, www.theatercarre.nl), un edificio construido en el siglo XIX como circo y en el que actualmente se celebran musicales a gran escala, junto con operas y ballet. En los muelles Orientales se alza el **Muziekgebouw aan't IJ** (▶ 148–149), una de las salas de música en directo más importantes de la ciudad. A su lado se sitúa la **Bimhuis**, uno de los templos del jazz de Amsterdam.

Excursiones

Una gran ventaja de Holanda es que desde Amsterdam es fácil
llegar casi a cualquier lugar del país. En sólo unos minutos,
el transbordador gratuito que cruza el río IJ por el norte llega
hasta la orilla de Waterland, frontera de una tranquila región
rebosante de tradición.

En cambio, si se elige el oeste, en sólo 15 minutos se puede
cambiar el bullicio de la ciudad más grande de Holanda por
Haarlem, un lugar mucho más tranquilo y manejable. En los
calurosos días de verano, se puede imitar a los ciudadanos de
Amsterdam y acudir a la playa de Zandvoort.

   Hacia el este, la antigua capital, Utrecht, está a tan sólo
30 minutos. Esta ciudad sigue manteniendo un cierto aire de
majestuosidad, a pesar de que hace ya mucho que cedió su
poder político en favor de Amsterdam. Su centro, marcado por
una única pareja de canales hundidos, es uno de los más
encantadores de Europa. Hacia el suroeste, camino a Leiden,
en la época apropiada del año se atraviesa un mar de colores.
La ciudad universitaria de Leiden resulta al mismo tiempo
hermosa e histórica, marcada por las huellas de los Padres
Peregrinos, que buscaron aquí la libertad religiosa antes de
cruzar el Atlántico a bordo del *Mayflower*.

**Página
anterior:
molinos
de viento de
Zaanse Schans**

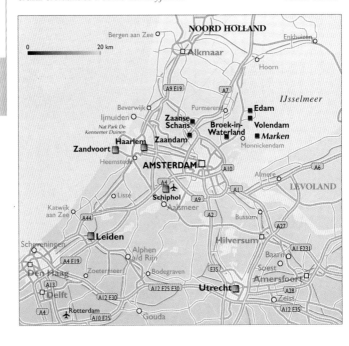

Noord-Holland

La franja de tierra que se extiende al norte de Amsterdam recibe el nombre de Noord-Holland (Holanda del Norte). Queda comprendida entre el mar del Norte por un lado y el IJsselmeer (creado mediante la contención del Zuider Zee) por el otro.

En días borrascosos y grises los campos azotados por el viento recuerdan el ambiente sombrío plasmado por Van Gogh; sin embargo, en días soleados se asemeja a sus paisajes más optimistas. La costa y las vías fluviales siguen dando cuenta de la tradición de navegación que terminó cuando el Afsluitdijk separó el Zuider Zee del mar del Norte. Los fines de semana, la zona se convierte en un lugar de ocio para los ciudadanos de Amsterdam.

A algunos de los lugares de interés se puede llegar en tren y los autobuses suplen muchos de los vacíos: el 111 une la Centraal Station de Amsterdam con la isla de Marken, el 110, 112 y 116 llegan hasta Volendam y el 114 y 116 hasta Edam. Aún así, ésta es una zona del país en la que disponer de vehículo propio, ya sea sobre cuatro ruedas o sobre dos, es una verdadera ventaja, confiriendo libertad para

Patinadores sobre un lago helado de Broek-in-Waterland

decidir los circuitos propios. Si se va a pie o en bicicleta, se puede tomar el transbordador gratuito que cruza el IJ desde la parte trasera de la Centraal Station de Amsterdam, con viajes cada pocos minutos desde la mañana temprano hasta la noche. En la orilla septentrional, existen autobuses y carriles bici que conducen a través de las afueras de Amsterdam-Noord hasta Broek-in-Waterland, bien señalizado para los motoristas que aparecen por el túnel subterráneo que cruza el IJ.

Broek-in-Waterland

Como un bonito mosaico de casitas esparcidas en un tapiz de serenas vías fluviales, Broek-in-Waterland fija la nota predominante en la región. En el centro del pueblo se alza delicadamente una iglesia del siglo XVI.

Marken

Una pequeña carretera del noreste, que conduce hasta el paso a nivel, es la única conexión por tierra para acceder a la isla de Marken. Este relativo aislamiento hace de este pueblo el más bonito del norte de Holanda, con sus pintorescas casitas de madera unidas por puentes.

Durante un tiempo, éste fue uno de los puertos más concurridos de la ciudad, gracias a sus flotas pesquera y ballenera, que hoy en día han dejado paso al turismo, para el florecimiento de multitud de cafés y restaurantes a orillas del agua. Desde aquí salen transbordadores regulares que van al puerto de Volendam.

Arriba: el adorable pueblo de Marken

Los ciclistas pueden decidir volverse y buscar alojamiento en Marken, mientras que los motoristas deben volver sobre sus pasos para continuar más al norte, siguiendo la línea costera protegida por un formidable dique.

Volendam y Edam

La carretera que sigue la costa atraviesa Monnickendam para posteriormente bordear la costa hacia Volendam, cuya orilla es una frenética convivencia entre barcas de colores primarios, cafés y tiendas de recuerdos. La auténtica ciudad, que yace inmediatamente detrás, mantiene un encanto considerable.

Volendam se fusiona con Edam, un lugar mucho menos insulso que el queso que lleva su mismo nombre. Cuando se retiran los autobuses de turistas tras pasar el día, normalmente sobre las 16.00, es un placer caminar por sus tranquilas calles impregnadas de historia (y llenas de tiendas de queso). Los autobuses 114 y 116, una carretera rápida principal o un práctico carril bici son los caminos de vuelta a Amsterdam desde Edam, aunque para completar el circuito campestre, se puede seguir hacia el este para disfrutar de una o dos vistas más.

Arriba: el puerto de Volendam siempre está lleno

Zaanse Schans

A pesar de que en los siglos XVII y XVIII la ciudad de Zaandam fue un importante centro de astilleros, en la actualidad, el río Zaan se ha convertido en un recinto comercial con agua estancada, al igual que muchos otros de la zona. Hoy en día, la mayoría de visitantes viene a ver Zaanse Schans, una colección de casitas y molinos de viento situados al norte de la ciudad. En 1960 se concibió un plan para convertir la zona en un museo viviente de tradiciones locales, de modo que se construyeron estas casas para recrear el ambiente de un pueblo auténtico.

Los molinos que se perfilan en la orilla este del Zaan son los supervivientes de aproximadamente 600 de ellos, que solían dominar el horizonte. El más interesante es el **Verfmolen**, el molino de colores. Aquí se molía madera, plantas y raíces para los fabricantes textiles, así como tiza para los pintores. El molino aún sigue funcionando, proporcionando a los artistas colores naturales hechos artesanalmente.

✉ Zaandam ☎ 075 616 8218; www.zaanseschans.nl
🕐 Los horarios y días varían de un lugar a otro
🍴 De Hoop Op d'Swarte Walvis restaurant (tel: 075 616 5629; www.dewalvis.nl), Abierto todos los días para cenar, lu–vi también para comer (€€€)
🚃 Koog-Zaandijk, cuatro trenes cada hora
💶 Emplazamiento: gratuito; lugares de interés: económico–moderado

Las huellas del zar

A principios de su reinado, Pedro el Grande recorrió la Europa occidental para estudiar los avances que le permitirían modernizar su imperio ruso, entonces bastante primitivo. Estuvo en Holanda en los últimos años del siglo XVII para estudiar las últimas técnicas marítimas, reuniéndose con experimentados cartógrafos y constructores navales. La casa de **Zaandam** en la que se albergó, **Czaar Peterhuisje (Casa del Zar Pedro),** es actualmente un museo: puede sorprender el modesto tamaño de esta pequeña casa de madera, que hoy en día se sitúa dentro de un edificio de piedra. El museo describe el proceso de construcción naval en Zaan, así como la vida del zar, por lo que atrae a numerosos visitantes rusos. Durante su estancia aquí, el zar también aprendió técnicas de recuperación de tierra, que posteriormente se mostraron inútiles en la creación de su nueva capital a partir de una marisma bordeada por el océano Báltico: San Petersburgo.

Czaar Peterhuisje

✉ Krimp 23, Zaandam ☎ 075 616 0390; www.zaanseschans.nl 🕐 Ma–do 13.00–17.00. Cerrado 1 ene, 25 dic 🚃 Zaandam (cuatro trenes cada hora que salen de Centraal Station) 💶 Económico; gratuito con la tarjeta Museumjaarkaart

Edam se queda tranquilo tras la marcha de los autobuses turísticos, sobre las 16.00

Haarlem y Zandvoort

En un día soleado, esta llamativa ciudad y las playas vecinas forman una combinación excelente para una visita.

Haarlem

Haarlem es el antídoto perfecto para todo aquel que se sienta abrumado por la ciudad, ya que sólo 15 minutos la separan de Amsterdam y resulta más pequeña, manejable y agradable. Al mismo tiempo, mantiene una fuerte personalidad propia, histórica y cultural, emanando un auténtico aire holandés.

Existe un paseo fascinante y fácil para explorar la ciudad, comenzando por uno de sus principales lugares de interés, la espléndida **estación de ferrocarril** *art nouveau*, que data de 1908. En la entrada principal se disponen dos murales de azulejos ideados para alentar a la clase obrera: uno representa a un labrador y el otro a dos herreros. En el extremo occidental de la estación (lejos de la entrada principal) hay una oficina turística de VVV.

La ruta comienza caminando hacia el sur por Kruisweg, que a medio camino se convierte en Kruisstraat. Se pasa por **Steedhuys Antiek** (Kruisstraat, 11), una de las muchas tiendas de antigüedades de Haarlem, situada en un edificio del siglo XIX; a continuación se puede bajar por Kruisstraat

hasta encontrar, justo enfrente, el **Hofje van Oorschot,** un peculiar *hofje* (➤ 90) abierto a la calle, en lugar de los típicos que se hallan enclaustrados y alejados de ella.

Siguiendo hacia el sur por Barteljorisstraat, se deja a la izquierda **Corrie ten Boomhuis,** antigua residencia de la familia ten Boom, evangelistas que desempeñaron un papel importante en la Resistencia durante la II Guerra Mundial, ofreciendo refugio a un gran número de judíos.

Unos metros más adelante se abre el **Grote Markt,** una extensa y bonita mezcla de edificios cuya plaza está dominada por **Sint Bavokerk,** también conocida como Grote Kerk o Gran Iglesia. Este inmenso edificio del siglo XV de estilo gótico tardío supera en superficie construida a cualquiera de los de Amsterdam. La entrada principal se encuentra escondida en la parte trasera que da a Oude Groenmarkt. En el interior, el principal punto de

Haarlem ofrece una cómoda alternativa a Amsterdam

interés es su curioso órgano barroco, instalado en 1738 y que posteriormente tocaría Mozart a la edad de 10 años.

Se puede seguir dirección sur por Warmoesstraat, donde hay varios restaurantes excelentes. Esta calle se convierte en Schaghelstraat, y después en Grote Heiligland, esta última dotada de varias casas preciosas. Llegando al final se alza el **Frans Halsmuseum**, situado en un refugio construido en 1608, y que conforma una preciosa galería en la que se conmemoran y exhiben las obras de este artista de Haarlem del siglo XVII.

Corrie ten Boomhuis

✉ Barteljorisstraat 19 ☎ 023 531 0823; www.corrietenboom.com
🕐 Abr–oct: ma–sá 10.00–16.00 (última visita 15.30); resto del año: ma–sá 11.00–15.00 (última visita 14.30). Visitas guiadas; la hora de la siguiente visita se marca en el reloj de la puerta 💶 Gratuito, se agradecen donaciones

Sint Bavokerk

✉ Grote Markt ☎ 023 553 2040; www.bavo.nl 🕐 Lu–sá 10.00–16.00
💶 Económico

Frans Halsmuseum

✉ Groot Heiligland 62, Haarlem ☎ 023 511 5775; www.franshalsmuseum.nl
🕐 Ma–sá 11.00–17.00, do y festivos 12.00–17.00. Cerrado 1 ene, 25 dic
💶 Moderado

A los holandeses les encanta tumbarse a la orilla del mar siempre que el tiempo lo permite

Zandvoort

Este sencillo complejo de vacaciones es la playa local de Amsterdam. El emplazamiento original de Zandvoort era una aldea de pescadores que se alzaba en un vacío entre las dunas que recorren la costa del mar del Norte al oeste de Haarlem. Esta zona se ha poblado de hoteles y edificios de apartamentos, aunque aún se mantienen retazos del antiguo puerto.

Unos cuantos kilómetros al norte está el hermano elegante de Zandvoort, **Bloemendaal,** del que se dice que es el lugar más rico de Holanda.

Muchos trenes con salida desde Amsterdam paran en Haarlem y continúan directos hasta Zandvoort.

Utrecht

Utrecht podría presentar un panorama poco atractivo: tiene una catedral dividida en dos, un par de canales que se han hundido por debajo del nivel de las calles y un enorme centro comercial en un lateral del centro de la ciudad. Sin embargo, es una ciudad bonita, agradable y sorprendente.

Hubo una época en la que el Rin fluyó por esta zona de Holanda y en la que los romanos establecieron aquí un importante punto de paso. En los tiempos en los que el río discurría por el sur de la ciudad, Utrecht era una importante base política, y su obispo, una de las figuras más importantes de Holanda. Fue él precisamente quien otorgó en 1300 un fuero al joven asentamiento de Amsterdam, fecha que se adopta como el año de fundación de la ciudad. Con la decadencia de su poder, Utrecht se vio en peligro de convertirse en un páramo, aunque su universidad constituye una dinámica ventaja y su situación céntrica atrae bastantes negocios.

El escudo de armas de la ciudad refleja el legado de Utrecht

Cada hora salen de Amsterdam cinco trenes con destino Utrecht, cuyo trayecto dura 30 minutos. Si se siguen las señales que indican *centrum* a través del laberinto del centro comercial adyacente a la estación, se llega a Lange Elisabethstraat. Cualquiera de las calles laterales del lado contrario a esta vía conduce hasta el canal principal, **Oudegracht.** La VVV (oficina turística) está bien señalizada, junto a la torre de la catedral.

Se ha excavado una gran franja para albergar al **Oudegracht** y al paralelo **Nieuwegracht.** Ambos están flanqueados por senderos bajo el nivel de la calle; además, ha florecido un gran número de cafés, restaurantes, estudios y galerías en los sótanos que bordean los canales. Oudegracht se estrecha temporalmente en la zona del **Stadhuis,** una imponente estructura con un llamativo anexo, para posteriormente reaparecer y seguir hacia el sur. Una buena forma de familiarizarse con la ciudad es dando un paseo de unos 20 minutos hacia el sur por la orilla oriental. Se puede visitar el **Centraal Museum,** que abarca los orígenes de la ciudad, la

Edad de Oro y el arte contemporáneo. Cerca de aquí, en **Agnietenstraat,** hay una fila de preciosas casitas. Se pasa por ellas de camino a la orilla de Nieuwegracht, y a continuación, se puede girar a la izquierda (norte) hasta encontrarse el **Catharijne Convent Museum,** uno de los museos más originales de la ciudad, con una buena colección de arte religioso (con obras de Frans Hals y Rembrandt).

Siguiendo hacia el norte se atraviesa un tranquilo y precioso barrio hasta llegar a la **Dom** (catedral), que ofrece una de las vistas más extrañas de Holanda. Su construcción se prolongó durante dos siglos y finalizó en 1517, pero un huracán destrozó su nave cual ariete en 1674. Como resultado, Domplein alardea de su elegante torre de 112 m, que cuenta con un agradable carillón, y separada de éste, se erige una catedral truncada con la fachada oeste tapiada. Se recomienda subir a la torre entre las 11.00 y las 16.00. En la fachada sur se incrusta un canto rodado traído con grandes dificultades desde la península de Jutlandia, que data del siglo X y contiene inscripciones de runas consagradas al rey Harald.

Centraal Museum
✉ Nicolaaskerkhof 10 ☎ 030 236 2362; www.centraalmuseum.nl 🕒 Ma–do 12.00–17.00 (vi hasta 21.00). Cerrado 1 ene, 30 abr, 25 dic 🖐 Moderado; entrada gratuita con la Museumjaarkaart

Catharijne Convent Museum
✉ Nieuwegracht 63 ☎ 030 231 3835; www.catharijneconvent.nl 🕒 Ma–vi 10.00–17.00, sá, do y festivos 11.00–17.00. Cerrado 1 ene, 30 abr 🍴 Café, restaurante y refrescos (€€) 🖐 Moderado

Vismarkt, una de las esquinas más concurridas de la ciudad

Leiden y los campos de tulipanes

Lo más llamativo de la ciudad universitaria de Leiden son los agradables paseos a orillas de los canales, las preciosas casas y unos museos de gran interés, propios todos ellos de capitales de provincia. Además, cuenta con una amplia oferta de lugares para comer, beber y relajarse.

Si se coge Stationsweg desde la estación de tren, la visita turística comienza casi de inmediato. El **Rijksmuseum voor Volkenkunde (Museo Etnológico Nacional),** situado en Steenstraat, 1 (tel: 071 516 8800; www.volkenkunde.nl), se alza en un antiguo hospital del siglo XIX y contiene los descubrimientos de los exploradores holandeses. Las mejores exposiciones son las de Asia, particularmente las de Java y Japón, aunque también tienen una bella colección de cerámicas peruanas (abierto ma–do 10.00–17.00; precio medio).

Si se sigue el canal hasta pasar el museo, se llega a la recargada **Morspoort,** una de las puertas originales de la ciudad, que se abre a una calle llena de restaurantes y lleva hasta uno de los lugares más fotografiados de Leiden: el puente macizo que cruza la vía fluvial **Oude Vest.** Inmediatamente a la derecha, otro puente cruza el curso donde antes pasaba el Rin, razón por la que es conocido como **Oude Rin,** o antiguo Rin.

Siguiendo hacia el sur por Rapenburg, se llega a la parte más bonita de la ciudad: a la izquierda (este) está el **Rijksmuseum van Oudenheden (Museo Nacional de Antigüedades,** abierto ma–vi 10.00–17.00, sá–do 12.00–17.00).

Cerca del **Jardín Botánico** (abierto abr–oct todos los días 10.00–18.00; nov–mar do–vi 10.00–16.00), la imponente **Pieterskerk** domina la zona; su interior alberga una momia de principios del siglo XVIII descubierta bajo el púlpito.

Arriba: los brillantes campos de tulipanes cerca de Leiden

Arriba izquierda: el antiguo curso del Rin recorre Leiden

Los colores de Keukenhof atraen a miles de visitantes

La capilla de la esquina suroeste está consagrada a los Padres Peregrinos, los puritanos calvinistas ingleses que habitaron en Leiden durante 11 años antes de zarpar rumbo a América.

Al oeste de la iglesia se encuentra **Pieterskerkchoorsteeg**, ofreciendo su gran oferta culinaria; a la izquierda (norte), la señal de comienzo de **William Brewstersteeg** marca el lugar donde se erigía la **imprenta de los Padres Peregrinos.**

Más allá se sitúa el **Stadhuis** (ayuntamiento), con una escalera deliciosamente decorada, y detrás, un montículo artificial, la ciudadela, desde donde las vistas abarcan toda la ciudad. Si se mira hacia el noroeste, se vislumbra un molino de viento que constituye un punto de referencia de vuelta a la estación, así como un museo propiamente dicho (abierto ma–sá 10.00–17.00, do 13.00–17.00).

Cada primavera, durante un par de meses, los campos que se extienden entre Leiden y la pequeña ciudad de Heemstede se llenan de color. Esta zona es el centro de cultivo de tulipanes de Holanda, y **Keukenhof** ocupa el corazón de la misma, cerca de la aldea de Lisse. Keukenhof significa huerto: este lugar se utilizaba para sembrar alimentos hasta que un consorcio de cultivadores de bulbos vislumbró el potencial turístico de este emplazamiento tan cercano a Amsterdam.

Keukenhof

✉ Stationsweg 166a, Lisse ☎ 0252 465 555; www.keukenhof.nl ☀ Jardín de primavera: finales mar–finales may: todos los días 8.00–19.30; jardín de verano: mediados ago–mediados sep: todos los días 9.00–18.00

🍽 Instalaciones de hostelería (€€) 🚊 Leiden; desde la estación de autobuses adyacente sale el Keukenhof Express 🎫 Caro

Aeropuerto de Schiphol

Desde sus orígenes como un minúsculo aeródromo situado en el terreno ganado al mar de Haarlemmermeer, Schiphol ha crecido hasta convertirse en el cuarto aeropuerto más transitado de Europa (tras Heathrow, Francfort y París Charles de Gaulle). Debido al gran número de pasajeros en tránsito, el aeropuerto dispone de bastantes entretenimientos.

El lugar más interesante del aeropuerto es el **Rijksmuseum Schiphol,** situado en una plataforma elevada sobre el pasillo que conecta las puertas de embarque E y F. Aunque su contenido varía, lo normal es que se exhiban obras de maestros del siglo XVII, como Rembrandt, Pieter de Hoogh y Jan Steen.

Si el vuelo es tarde, se puede visitar el **centro de meditación,** concebido como lugar de oración de distintas religiones, mientras que en una sala de espera cercana disponen de sillas reclinables y una proyección continua de rutas por Holanda. Además, una pequeña **exposición** descubre la historia del aeropuerto.

Schiphol también cuenta con un **casino** (abierto todos los días 6.30–19.30, edad mínima 18, necesaria tarjeta de embarque). Al contrario del resto de lugares de apuestas, éste está lleno de relojes en un intento por asegurar que los jugadores no pierdan sus vuelos.

La **Panoramaterras** (galería de los Espectadores) cubre gran parte del tejado, ofreciendo unas vistas inigualables de las pistas y pasarelas. Para subir existen varias escaleras señalizadas desde distintos lugares de la zona de llegadas. La entrada es gratuita (abierto abr–15 sep 7.00–20.00; resto del año 9.00–17.00).

Rijksmuseum Amsterdam Schiphol

✉ Aeropuerto de Schiphol
🕐 Todos los días 7.00–20.00
🔑 Schiphol, pasando el control de pasaportes (necesaria tarjeta de embarque para algún vuelo inminente)
🎫 Gratuito

Característicos tulipanes en la entrada de la terminal de Schiphol

1 PASEO POR LOS CANALES

Itinerario

DISTANCIA 5 km **DURACIÓN** 2–3 horas
PUNTO DE PARTIDA Haarlemmerplein ✚ 196 C4
LLEGADA Ciudad de las Ciencias NEMO ✚ 200 C4

Existen muchísimos candidatos al canal más bonito de Amsterdam, pero para una fascinante y divertida presentación de la ciudad, es difícil superar un paseo por los alrededores de Herengracht. Aquellos que estén en buena forma lo pueden combinar con el itinerario 2 (▶ 178–180) para completar un circuito por todo el centro de la ciudad.

1–2

El tranvía 3 para en Haarlemmerplein, pero también se puede llegar caminando desde Centraal Station (20 minutos). Siguiendo las vías de los tranvías hacia el sur durante 50 m, justo antes de que crucen el puente sobre **Brouwersgracht**, se llega al punto desde el que girar a la izquierda y continuar por la orilla norte de Brouwersgracht. Ya no queda ningún rastro de las fábricas de cerveza que dan nombre a este canal, ya que los antiguos almacenes han sido reconvertidos en viviendas.

2–3

Desde el puente de Oranjebrug, si se mira a la izquierda, se descubre que el edificio del **nº 133** está nivelado en la planta baja, pero sus otros tres pisos están inclinados. Pasando la estatua del maestro Theo Thijssen posado sobre un

Arriba: vistas de Prinsengracht desde Brouwersgracht
Página anterior: casa con hastial, Brouwersgracht

pupitre escolar, se llega al puente que cruza **Prinsengracht** (el canal del Príncipe), desde el que se tiene la primera de una serie de bellas vistas. Se sigue hasta cruzar **Keizersgracht** (el

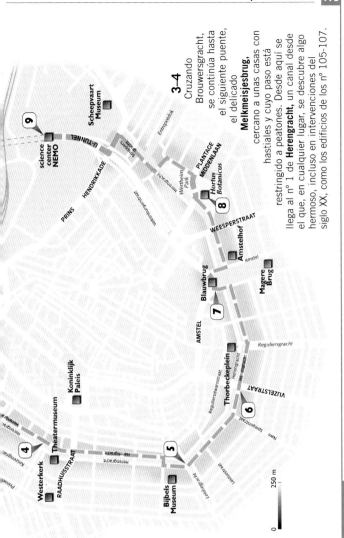

canal del Emperador), y al principio de Herengracht, se recorren tres lados de una plaza para llegar a la orilla contraria.

Brouwersgracht está llena de viviendas originales

3-4

Cruzando Brouwersgracht, se continúa hasta el siguiente puente, el delicado **Melkmeisjesbrug,** cercano a unas casas con hastiales y cuyo paso está restringido a peatones. Desde aquí se llega al n° 1 de **Herengracht,** un canal desde el que, en cualquier lugar, se descubre algo hermoso, incluso en intervenciones del siglo XX, como los edificios de los n° 105-107.

4–5

En el punto en el que **Leliegracht** tuerce hacia la derecha ofrece la oportunidad de ver un canal en toda su longitud casi desde el nivel del agua. Si se quiere visitar el **Theatermuseum** (▲ 99), hay que cruzar Herengracht; si no, se puede seguir por el lado este y admirar de lejos la elegante **Bartolotti Huis**. En el cruce con Raadhuisstraat, que se extiende hasta el palacio Real, cobra protagonismo el siglo XX. En la otra dirección, una elegante terraza de principios del siglo XX llama la atención hacia la torre de **Westerkerk** (▲ 92–93). En Oude Spiegelstraat se entra en la zona de 9 Straatjes (▲ 105), y Wijde Heisteeg marca su final. Cruzando Herengracht, se sigue hacia el sur por la otra orilla. Justo tras pasar el **Bijbels Museum (Museo de la Biblia),** situado en el n° 380 con sus elaborados detalles de mampostería, se encuentra el **Nederlands Institut voor Oorlogsdocumentatie** (Instituto Holandés de Documentación de la Guerra).

5–6

Muy cerca, Herengracht gira bruscamente hacia la izquierda, mientras que **Leidsegracht** se desvía hacia la derecha. Este tramo del

Características casas inclinadas a orillas del canal

canal está lleno de barcos turísticos, gente y vehículos, aunque van diseminándose una vez que se cruza Leidsestraat y se entra en la **Gouden Bocht** (Curva de Oro), antiguamente ocupada por los residentes más acaudalados (de ahí el nombre) y que actualmente está tomada por las compañías comerciales y los consulados extranjeros. La curva en sí se produce en el punto donde comienza Nieuwe Spiegelstraat, cubierta de tiendas de arte y antigüedades.

6–7

Vijzelstraat marca el final de la Curva de Oro. El edificio **De Bazel**, situado en la esquina de esta calle con Herengracht, presenta en el sótano una fascinante exposición de documentos y fotografías del archivo local (hay que seguir la señales para la Schatkamer). Más allá está **Thorbeckeplein,** donde paran los barcos turísticos para ofrecer a sus pasajeros las vistas de los siete puentes (que sólo es posible observar debidamente desde el nivel del agua). Este punto es también el lugar en el que este circuito se cruza con el itinerario 3 (▲ 181–183). Durante los últimos 300 m de Herengracht reina la calma. Justo antes de cruzar Utrechtsestraat, un majestuoso San Jorge

Un descanso

En Leidsestraat, si se desvía 200 m a la derecha (suroeste), podrá hacer una parada para tomar algo y disfrutar de las magníficas vistas desde el café del último piso de los grandes almacenes **Metz & Co** (➤ 102).

aparece en la acera opuesta, en el edificio que alberga el consulado italiano. Justo delante está el río Amstel, y a la derecha, el **Magere Brug** (puente Flaco, ➤ 150). La ruta sigue hacia la izquierda (norte) hasta **Blaubrug** (el puente Azul), construido en 1874 en hierro fundido. Hay quien dice que es una copia del puente Alejandro III de París, aunque en realidad éste se construyó posteriormente.

7-8

El Blaubrug marca el final de lo que es propiamente Herengracht. Llegados a este punto, se puede terminar la ruta aquí y volver en los tranvías 9 o 14, que cruzan el puente, o ir hacia la estación de metro de Waterlooplein, que está 200 m al noreste. Si se desea continuar, hay que girar a la derecha

por este puente y cruzar a la orilla este del Amstel. Atravesando el primer puente y torciendo a la izquierda hacia Nieuwe Herengracht se descubre un nuevo puente, el **Walter Susskindbrug**, que es una réplica del Magere Bruch en honor a los alemanes que ayudaron a cientos de niños holandeses a escapar de los nazis durante la II Guerra Mundial. Al lado se sitúa el **Amstelhof**, la primera de las residencias de ancianos de la ciudad, y actual ubicación de la **Hermitage Amsterdam** (➤ 154). Siguiendo por la orilla sur de Nieuwe Herengracht, se atraviesa parte del barrio Judío y se bordea el invernadero de los tres climas del **Hortus Botanicus** (➤ 144–145).

8-9

Cruzando la ajetreada Plantage Middenlaan, se entra al **Wertheim Park**, donde se erige un homenaje a los miles de holandeses de origen judío que murieron en los

campos de concentración nazis de Auschwitz-Birkenau. Si se atraviesa el canal se llega a Anne Frankstraat, y tras cruzarla, hay que girar a la derecha por el sendero para disfrutar de las vistas de **Entrepotdok** (➤ 153), uno de los puertos francos originales. Cruzando Prins Hendrikkade se llega a la estatua de Neptuno, y desde aquí se puede rodear el borde de la entrada al túnel del IJ de camino a la **Ciudad de las Ciencias NEMO** (➤ 69). Las vistas de la ciudad, la Centraal Station y el río IJ son fantásticas, y tan cercanas, que casi se puede tocar el **Scheepvaart Museum** (➤ 146–147), desde donde comienza el itinerario 2 (➤ 178–180).

El Blaubrug

2 PASEO POR LOS MUELLES

Itinerario

Los antiguos atracaderos de Amsterdam están llenos de historia, desde el museo que conmemora los logros de la Compañía Holandesa de las Indias Orientales hasta la sede de la Compañía Holandesa de las Indias Occidentales y más allá.

DISTANCIA 2 km **DURACIÓN** 1 hora
PUNTO DE PARTIDA Scheepvaart Museum ✚ 201 D3
LLEGADA Haarlemmerplein ✚ 196 C4

del itinerario 1, además de desembocar en un lugar cercano al punto de partida del itinerario 4.

1–2
Desde la puerta del **Scheepvaart Museum** (▶ 146–147) en Kattenburgerplein se puede adivinar cómo debió ser la imagen del Oosterdok. Siguiendo por el lado norte y cruzando los canales Nieuwevaart y Schippersgracht, se deja a la derecha la estatua de Neptuno. Si el centro **Arcam** (▶ 152) está abierto, merece la pena visitarlo. Desde el siguiente puente se pueden admirar las bonitas vistas de la **Ciudad de las Ciencias NEMO** (▶ 69). Cruzando la calle se

Historia marítima en los muelles

Este interesante y bullicioso itinerario recorre un atajo entre el punto de partida y el de llegada

puede mirar a través de **Oudeschans** (*chans* significa foso), el que fue en su día una de las defensas de la ciudad. También formó parte de esas fortificaciones la torre de la derecha, **Montelbaanstoren.**

2–3

Siguiendo por el lado que mira a tierra de Prins Hendrikkade, en el n° 142 se alza el **Nationaal Pop Instituut,** centro cultural para la música popular holandesa (abierto lu–vi 10.00–17.00). En el n° 131, una placa

Una ciudad moderna con una historia fascinante

marca la casa natal del almirante de Ruyter, un héroe naval holandés. Algo más adelante está la **Scheepvaarthuis,** que en su día dirigió una flota global, pero que actualmente alberga el lujoso Grand Hôtel Amrâth (▶41).

3–4

El siguiente tramo de agua que se expande a la izquierda es el Waalseilandsgracht y la calle que comienza en su extremo occidental, Kromme Waal, en la que el n° 9 muestra un claro ejemplo de hastial escalonado. Bordeando la siguiente curva a la izquierda se revela la torre más oriental de Centraal Station junto a **St. Nicolaaskerk,** y en medio de ésta, la **Schreierstoren** (la torre de los Llantos), donde se cuenta que se congregaban las mujeres para despedir entre sollozos a sus maridos.

Una placa relata cómo el 4 de abril de 1609 zarpó desde aquí el marino inglés Henry Hudson (c.1550–1611) a bordo del *Half Moon,* para descubrir el puerto y el río del actual Nueva York.

0   500 m

CENTRAAL STATION

HENDRIKKADE

Damrak

5

6

Singel

4 St-Nicolaaskerk

Schreierstoren

Kromme Waal

Scheepvaarthuis

Oosterdok

PRINS HENDRIKKADE

3

Waalseilandsgracht

Oude Waal

Montel-baanstoren

Oudeschans

2

IJ-TUNNEL

Ciudad de las Ciencias NEMO

Schippers gracht

Scheepvaart Museum

I

Arcam

Kattenburger-plein

KATTEN BURGERGRACHT

Nieuwevaart

4-5

Siguiendo por el lado que mira a tierra de Prins Hendrikkade, se alza a la izquierda la iglesia de San Nicolás, en honor al patrón de los marineros. Tras pasar los barcos turísticos amarrados en Damrak, aparece el **Hotel Victoria,** en cuyo lado norte hay dos casas del siglo XVII que parecen incrustadas en la fachada. La historia cuenta que el hotel quería demoler una serie de casas para poder extenderse hacia el oeste por Prins Hendrikkade, pero los propietarios de los edificios adyacentes se negaron a venderlos con lo que quedaron añadidos a sus paredes.

5-6

El punto más importante del siguiente tramo es la gran ubicación de **Mercurius** (▶ 74), una *brasserie* de moda. Cuando da la calle cruza el Singel, se obtienen unas vistas impresionantes: a la derecha, el próspero instituto de Amsterdam de estilo renacentista francés, **Hogeschool van Amsterdam,** en el centro el inclinado **Café Kobalt** y a la izquierda un almacén coronado con un **arcángel Gabriel** azul encima de una bola del mundo. A nivel de tierra se halla también el motor de un barco fijado a un pedestal de obra, donado por una compañía naval.

La West Indisch Huis solía gobernar la mitad de un imperio

6-7

Siguiendo hacia el almacén coronado por el arcángel Gabriel y que en la planta baja alberga una tienda de quesos, se gira a la derecha por Haarlemmerstraat, donde, a mano izquierda, aparece la **West Indisch Huis (Casa de las Indias Occidentales),** una mansión de grandes dimensiones desde donde se controlaban las actividades marítimas holandesas en el Caribe y América del Sur. En la actualidad es la sede de varias compañías de comunicación.

7-8

Tras una ligera curva, se puede admirar una impresionante sucesión de hastiales. Al sur del puente que cruza **Korte Prinsengracht,** se puede disfrutar de unas bonitas vistas del canal, justo donde Haarlemmerstraat se convierte en Haarlemmerdijk. Más adelante, en el cruce con Binnen Dommersstraat, hay dos sirenas. El paseo termina al abrirse Haarlemmerdijk en una plaza, en cuyo extremo opuesto se encuentra lo más parecido a un arco del triunfo en Amsterdam, la **Haarlemmer Poort.** A través de ésta se puede ver la escultura en colores primarios que marca el inicio del Westerpark. Desde Haarlemmerplein se puede coger el tranvía 3 de vuelta al centro o comenzar el itinerario 1 (▶ 174–177), así como recorrer una corta distancia hacia el este hasta el punto de partida del itinerario 4 (▶ 184–186), pasear por el Jordaan (▶ 88–91) o entrar al Westerpark (▶ 100).

Un descanso

Como lugares interesantes en esta ruta destacan el **Café VOC,** en la torre de los Llantos (lu–ju 10.00–22.00, vi–sá 12.00–3.00, do 12.00–23.00) y el **1e Klasse,** en Central Station (▶ 68).

3 Una estampa de Amsterdam

Itinerario

Prácticamente cualquier paseo por Amsterdam que transcurra entre el anillo de canales de la ciudad es agradable. Sin embargo, no se puede decir lo mismo de los que discurren fuera de las vías fluviales; por ejemplo, es difícil encontrar un recorrido bonito entre la Centraal Station y el Rijksmuseum. Este circuito es el camino más agradable para unir dos de los grandes nudos de la ciudad, evitando en gran medida el tráfico y la incomodidad de otras rutas.

DISTANCIA 3 km **DURACIÓN** 1:30 horas a paso rápido **PUNTO DE PARTIDA** NH Barbizon Palace Hotel, sureste de Centraal Station Rijksmuseum ✚ 201 D3
LLEGADA Rijksmuseum ✚ 198 C2

1–2

El itinerario comienza al sureste de Centraal Station, en el punto en que Zeedijk se bifurca respecto a Prins Hendrikkade. A la derecha se alza una siniestra placa sobre **St. Olofkerk**, que representa un esqueleto recostado entre varios cráneos. Construida en 1415, St. Olof sirvió como sede de la Bolsa de la ciudad en el siglo XVI. En el punto en el que Zeedijk cruza el agua se obtiene una bonita vista, con la franja estrecha de **Oudezijds Kolk** a la izquierda y la extensión más amplia de **Oudezijds Voorburgwal** a la derecha.

2–3

Aunque tiene fama de calle sórdida, deprimente y a veces peligrosa, Zeedijk está tomando una nueva apariencia: entre sus bares de tapas se incluyen algunos sitios excelentes para comer o tomar una copa.

Reguliersgracht: el canal de los Siete Puentes

Esta calle marca el borde este del **Barrio Rojo** (▶ 63–65) y su tramo sur linda con el modesto **Barrio Chino** de Amsterdam. Ambos quedan atrás cuando Zeedijk se expande en Nieuwmarkt, dominado por el gran **Waag** (▶ 72). Al norte del mercado hay una escultura a tamaño real de un hombre besando a una mujer que se resiste, y al norte, el mobiliario urbano de madera y cerámica supone un lugar ideal para que la gente se siente.

3–4

Tomando el lado derecho (oeste) de Kloveniersburgwal, tras un breve paseo por el canal, se puede observar al otro lado la **Trippenhuis**, ubicación original de la colección que ahora cuelga en el Rijksmuseum. La sede de la **Oostindisch Huis (Casa de las Indias Orientales)**, a la vuelta de la esquina de Oude Hoogstraat, forma parte actualmente de la Universidad de Amsterdam, con un patio de bonitas proporciones.

concurrida línea de tranvías hasta llegar a **Rembrandtplein**, en cuyo centro se alza sobre un pedestal la estatua de Rembrandt.

6-7

Este espacio abierto está formado por dos plazas distintas: la situada al sur es **Thorbeckeplein**, orientada hacia Herengracht (véase itinerario 1). La plaza, con un templete en el medio, es lo más parecido a un toque parisino que se puede encontrar en Amsterdam, a pesar de que lugares como Coco's Outback (cuyo lema es: "Comida basura y cerveza caliente") hacen todo lo posible por estropearlo.

Si se mira hacia el sur a lo largo de **Reguliersgracht**, que comienza aquí, se observa el primer par de puentes de la serie que confiere a este canal el sobrenombre de **Siete Puentes**. Siguiendo por la orilla izquierda (oriental), se sigue hacia el sur observando la elegante talla en madera de una ventana panorámica que sobresale en el nº 57 de Reguliersgracht. Inmediatamente se llega a Kerkstraat, cuyo nombre proviene de la preciosa **Amstelkerk** del siglo XVII, situada en la orilla izquierda y en la que actualmente está instalado el restaurante Proeflokaal Janvier (▶ 158).

Una estatua del artista Rembrandt vela Rembrandtplein

4-5

Cruzando el canal se encuentra uno de los **albergues juveniles** del centro de la ciudad. Cerca del final de Kloveniersburgwal se llega hasta el *pub* escocés Balmoral, parte del Doelen Hotel, desde donde se puede cruzar hasta la estructura de la izquierda: el primer puente levadizo que se construyó en la ciudad.

5-6

Siguiendo al sur por Kloveniersburgwal, la vía fluvial se abre hasta formar una amplia cuenca, el Binnenamstel.

Se atraviesa por Halvemaansbruch y se cruza la carretera hasta llegar a una pequeña calle peatonal llamada Halvemaansteeg. Ésta conduce a una

---

0 |⎯⎯⎯⎯| 250 metros

CENTRAAL STATION

PRINS

HENDRIKKADE

Oudezijds Kolk

Zeedijk

1

2

3 De Waag

CHINATOWN

Oudezijds Voorburgwal

Barrio Rojo

Nieuwmarkt

wal

4

Oostindisch Huis

tersburg.

7–8

Se cruza el quinto puente en dirección oeste por el lado sur de **Prinsengracht.** Antes de comenzar a recorrerlo, se recomienda buscar la cigüeña colocada sobre la puerta de la oficina de arquitectos, en la esquina. Aunque hay algunas casas flotantes amarradas en este tramo, lo más interesante son los

elaborados hastiales de los edificios de la orilla. Al cruzar el concurrido Vijzelgracht, se recupera la calma continuando hasta el siguiente cruce: Nieuwe Spiegelstraat. Si se dispone de una o dos horas, se pueden

inspeccionar las tiendas de arte y antigüedades de la acera derecha (norte). El paseo sigue hacia la izquierda (sur) por Prinsengracht, hacia uno de los cruces más bonitos y vivos de la ciudad.

8–9

Se sigue adelante por **Spiegelgracht** hacia las torres gemelas que anuncian el Rijksmuseum.

Un descanso

Las opciones recomendadas son **Bird** (Zeedijk 77, ▶ 73), **In de Waag** (▶ 72), en mitad de Nieuwmarkt, o para una comida más sustanciosa, **Le Zinc… et les Autres,** en Prinsengracht 999 (▶ 158).

Se puede disfrutar de las vistas del canal tranquilamente sobre el puente que cruza Lijnbaansgracht. Tras salvar Weteringschans y Singelgracht, se llega hasta la hermosa fachada del **Rijksmuseum** (▶ 114–117). Para llegar hasta los edificios del **Van Gogh Museum** (▶ 124–127) o del **Stedelijk Museum,** hay que seguir recto por debajo de uno de los cuatro arcos; por este camino también se accede al ala sur del Rijksmuseum.

La gran fachada del Rijksmuseum recompensa el paseo

(Map labels:)

Rembrandt-plein

6

Kerkstraat

Thorbecke-plein

Reguliers-gracht

Reguliersgracht

7

Amstelkerk

VIJZELSTRAAT

Spiegelstraat

Kerkstraat

Prinsengracht

Prinsengracht

VIJZELGRACHT

Nwe

Spiegel-gracht

8

Lijnbaansgracht

Singelgracht

WETERINGSCHANS

Singelgracht

STADHOUDERSKADE

9

HOBBEMAKADE

Rijksmuseum

Coster Diamonds

Van Gogh Museum

Stedelijk Museum

4 Las islas Occidentales

Itinerario

Ningún punto de este breve circuito se aleja más de 1,5 km de Central Station, aunque el recorrido cubre una zona de Amsterdam muy diferente del resto de la ciudad: una serie de pequeñas islas en las que se respira un cierto aire de la Holanda rural.

DISTANCIA 2 km **DURACIÓN** 1 hora
PUNTO DE PARTIDA/LLEGADA Extremo sur de Grote Bickersstraat ✚ 197 D4

1–2

Al oeste de Central Station, la vía ferroviaria marca lo que fue en su día la costa septentrional del IJ, hasta que en la zona poco profunda del río, los mercaderes del siglo XVII crearon una sucesión de islas. El paseo comienza al pie de Grote Bickersstraat, en Hendrik Jonkerplein, donde confluye con Haarlemmer Houttuinen. Un lugar destacado es el **Blaauw Hooft Café**, que ocupa un ángulo agudo en un edificio triangular. Desde aquí se avanza hacia la derecha por **Blokmakerstraat,** calle en honor a los artesanos fabricantes de las poleas que permitieron mantener en movimiento la flota mercante. Actualmente, las **Westelijke**

2–3

Se puede girar a la izquierda (norte) por Hollandse Tuin, flanqueada por casas de la década de 1970, para admirar las barcazas pesqueras y las cuidadas casas flotantes atracadas al otro lado de **Westerdok.** Pasando Zeilmakerstraat a la izquierda y siguiendo por la misma acera, se alcanza Touwslagerstraat, y posteriormente, hay que tomar la primera a la derecha desde aquí, por Grote Bickersstraat. Pronto se llega hasta un típico puente levadizo sobre Realengracht. En el lado opuesto se observa el primer par de llamativos almacenes convertidos en apartamentos: **De Lepelaan.**

En Zandhoek hay multitud de ejemplos de placas bíblicas

Eilanden (islas Occidentales) son residenciales. Cerca de la orilla se alza una gran escultura en mármol negro, que supuestamente imita la silueta de una ballena.

Het IJ

3-4

Cruzando el puente y siguiendo recto por **Zandhoek,** tres casas decoradas: la fiera imagen de un león vela el nº 3 de la calle De Eendracht, el nº 4, el Arca de Noé, y el nº 6 representa un caballo blanco. Justo detrás se alza **De Gouden Reael,** un café restaurante que se especializa en comida regional francesa y toma su nombre del real de oro español. Al otro lado del puente que cruza Zoutkeetsgracht, se llega a una isla dedicada a **Willem Barents,** el explorador holandés que en el siglo XVI intentó buscar una ruta nororiental entre Europa y Asia. Descubrió la isla de Novaya Zemlya, situada en el mar que ahora lleva su nombre, pero falleció a causa del invierno ártico.

4-5

En Barentszplein se gira a la izquierda por Barentszstraat. La calle termina en el **Westerkanaal,** una de las principales puertas de entrada a la red de canales de Amsterdam, desde donde se gira a la derecha.

5-6

Se sigue en dirección este por **Roggeveenstraat,** una calle peatonal que acoge una imponente escuela a la izquierda y unos elegantes edificios residenciales del siglo XIX a la derecha. Al final de la misma se bordea Barentszplein y se vuelve hacia el sur cruzando el puente hacia Realeneiland. Después se gira hacia la derecha hasta el final de Taandwaarsstraat, dejando a mano izquierda unas modernas promociones residenciales entre las que se incluyen dos amplios almacenes reformados.

Plácida escena en las islas Occidentales

6–7

Se gira a la derecha por Realengracht hasta **Drieharingenbrug**, uno de los puentes más modernos y bonitos de Amsterdam. Esta estrecha estructura reemplazó al original del siglo XVIII en 1983, y tiene el tamaño justo como para que pasen dos bicicletas. Sobre una puerta del lado norte del puente se encuentran esculpidos los tres arenques a los que hace referencia su nombre.

La serenidad de las islas Occidentales es muy apreciada

7–8

La orilla sur del puente se sitúa en **Prinseneiland,** la más pequeña de las islas Occidentales. Siguiendo por la derecha, y tras pasar una elegante casa construida en 1629, se recorre, en el sentido contrario a las agujas del reloj, la calle que se extiende envolviendo la isla. Los edificios que flanquean la orilla occidental presentan sus postigos decorados con eslóganes comerciales. En la curva de esta calle se recomienda buscar el n° 24A, antiguo estudio del artista George Breitner.

8–9

Siguiendo por Prinseneiland alrededor de una interesante mezcla de viviendas nuevas y antiguas, se cruza el puente sobre Bickersgracht; después se gira a la derecha por la calle del mismo nombre, en la que el n° 29 tiene un maravilloso jardín. Al otro lado del canal, las casas veraniegas se alzan en el lugar donde antiguamente se botaban los buques. Tras un corto trayecto hacia la vía ferroviaria principal, se llega a **Hendrik Jonkerplein,** el final del itinerario.

Un descanso

La mejor opción es **De Gouden Reael** (➤ 185), donde se puede disfrutar de un buen café acompañado de una tarta. El punto medio (5) es el **Café Noorderster,** situado en Houtmankade, 7 (tel: 020 624 2904), que debe su nombre al paso nororiental.

En un paseo al atardecer, se puede visitar el tentador **Marius,** en Barentszstraat, 243 (tel: 020 422 7880, abierto ma–sá 18.00–22.00).

De lo contrario, se recomienda inclinarse por alguno de los cafés del Jordaan, al lado sur de las vías, perfectos a cualquier hora, aunque la iluminación de las islas en un atardecer despejado proporciona las vistas más bonitas.

Guía práctica

DIRECCIONES ÚTILES

Páginas web

- La página oficial de turismo de Amsterdam es un útil punto de partida www.amsterdamtourist.nl
- Información sobre eventos y la vida en la ciudad, en inglés www.iamsterdam.nl
- Inestimables reseñas de cientos de cafés y restaurantes de Amsterdam, en inglés www.iens.nl

ANTES DEL VIAJE

QUÉ NECESITA

		Reino Unido	Alemania	Estados Unidos	Canadá	Australia	Irlanda	Francia	España
● Imprescindible ○ Recomendado ▲ Opcional △ Innecesario	Se requiere pasaporte con una validez mínima de 3 meses a partir de la fecha de salida del país, excepto para los ciudadanos de la Unión Europea documentados.								
Pasaporte/Documento Nacional de Identidad		●	●	●	●	●	●	●	●
Visado (la normativa podría variar, conviene comprobarlo antes del viaje)		▲	▲	▲	▲	▲	▲	▲	▲
Reserva o billete de vuelta		▲	▲	▲	▲	▲	▲	▲	▲
Vacunas (tétanos y polio)		▲	▲	▲	▲	▲	▲	▲	▲
Tarjeta sanitaria (p192, salud)		●	●	●	●	●	●	●	●
Seguro de viaje		○	○	○	○	○	○	○	○
Carné de conducir (nacional)		●	●	●	●	●	●	●	●
Certificado del seguro del coche		○	○	△	△	△	△	○	○
Documentación del vehículo		●	●	△	△	△	●	●	●

CUÁNDO VIAJAR

Amsterdam

Temporada alta   Temporada baja

ENE	FEB	MAR	ABR	MAY	JUN	JUL	AGO	SEP	OCT	NOV	DIC
5°C	6°C	9°C	13°C	17°C	20°C	22°C	22°C	20°C	14°C	8°C	5°C

☀ Soleado   ☁ Nublado   🌧 Lluvioso   ⛅ Soleado/chubascos

Las temperaturas representan la **máxima media diurna** de cada mes. El clima de Amsterdam puede resumirse como templado y húmedo. El mes ideal para visitar la ciudad es mayo, cuando tanto las lluvias como las multitudes son menos intensas que en junio, julio y agosto. Septiembre, aunque es más lluvioso, también es una buena opción. Normalmente, entre octubre y marzo el tiempo presenta frío y lluvia, aunque **no es habitual que los canales se congelen.**

Los fuertes vientos de invierno **intensifican la sensación térmica;** además, la niebla puede ocultar la luz solar durante días completos.

En diciembre, Amsterdam **se llena de gente haciendo las compras de Navidad,** así como de visitantes extranjeros que pasan las fiestas en la ciudad.

- Oficina de Turismo de Holanda: sólo admite consultas a través de su web oficial y en ferias y congresos
www.holland.com

- Iformación turística y datos útiles sobre la ciudad de Amsterdam
www.amsterdam.info/es

- Consejos y curiosidades de la vida en Amsterdam, en una página web con formato *blog*
www.amsterdamguia.com

CÓMO LLEGAR

En avión El aeropuerto de **Schiphol** dispone de buenas conexiones con todo el mundo. Desde España las opciones para volar a Amsterdam son variadas: la compañía **Iberia** (902 400 500, www.iberia.es) dispone de varios vuelos directos diarios desde Madrid, y desde los principales aeropuertos españoles con transbordo en Madrid. Para volar directamente desde Madrid y Barcelona, la compañía **KLM** (902 010 321, www.klm.com) también dispone de varias salidas diarias. **Vueling** (807 001 717, www.vueling.com) ofrece billetes de bajo coste para vuelos directos desde Barcelona, Málaga, Sevilla y Valencia. Si no es inconveniente hacer escala en alguna otra ciudad, el espectro de compañías aéreas que operan conexiones con Amsterdam desde los principales aeropuertos españoles se amplía considerablemente.
Duración del viaje: Madrid (2 horas 40 min), Barcelona (2 horas 25 min), Málaga (2 horas 50 minutos), tiempos estimados para vuelos directos.

En tren Centraal Station tiene conexiones directas con las principales ciudades de la Europa occidental, incluyendo los trenes de alta velocidad **Thalys** que enlazan con París, Bruselas y Colonia. Desde España, la mejor opción es ir en tren hasta París: **Renfe** (902 240 202, www.renfe.es) ofrece su servicio de **Trenhotel** nocturno desde Madrid-Chamartín y desde Barcelona-França hasta la estación parisina de Austerlitz. Desde aquí hay que acudir a la estación Nord, de donde parten los trenes hacia Amsterdam.

En autobús La compañía **Alsa** (913 270 540, www.alsa.es) ofrece varias rutas que llevan a Amsterdam desde distintas ciudades españolas. Los autobuses llegan a la estación de Amstel.

HUSOS HORARIOS

La zona horaria de Holanda es CET (Central European Time), una hora más con respecto al meridiano de Greenwich (GMT▶ 1) en invierno y dos (GMT▶ 2) en verano. El cambio de hora se produce a finales de marzo y en octubre.

MONEDA

Moneda Holanda es uno de los 16 países de la Unión Europea cuya moneda es el euro (€). Las monedas se emiten por valor de 1, 2, 5, 10, 20 y 50 céntimos, y de 1 y 2 euros. Existen billetes de 5, 10, 20, 50, 100, 200 y 500 euros.

Cheques de viaje Los cheques de viaje constituyen una forma segura de llevar dinero. Se pueden cambiar por dinero en metálico en los bancos y oficinas de cambio.

Tarjetas de crédito Suelen aceptarse todas las tarjetas de crédito más habituales.

Cambio Los viajeros que no pertenezcan a la zona euro pueden cambiar dinero en alguno de los muchos cajeros automáticos, por ejemplo, en el aeropuerto de Schiphol o en Centraal Station, con la tarjeta de débito. Existen también distintas oficinas de cambio en el aeropuerto, la estación y las zonas turísticas, además de entidades bancarias de cambio de divisa.

HUSOS HORARIOS

GMT	Amsterdam	Nueva York	Alemania	España	Sidney
12.00	13.00	7.00	13.00	13.00	22.00

INFORMACIÓN GENERAL

TALLAS

Reino Unido	Resto de Europa	Estados Unidos	
36	46	36	
38	48	38	
40	50	40	
42	52	42	**Trajes**
44	54	44	
46	56	46	
7	41	8	
7.5	42	8.5	
8.5	43	9.5	
9.5	44	10.5	**Zapatos**
10.5	45	11.5	
11	46	12	
14.5	37	14.5	
15	38	15	
15.5	39/40	15.5	
16	41	16	**Camisas**
16.5	42	16.5	
17	43	17	
8	34	6	
10	36	8	
12	38	10	
14	40	12	**Vestidos**
16	42	14	
18	44	16	
4.5	38	6	
5	38	6.5	
5.5	39	7	
6	39	7.5	**Zapatos**
6.5	40	8	
7	41	8.5	

FESTIVOS

1 ene	Día de Año Nuevo
Mar/abr	Viernes Santo, Lunes de Pascua
30 abr	Día de la Reina
5 may	Día de la Liberación
6° jueves después de Pascua	Día de la Ascensión
May/ju	Lunes de Pentecostés
25 dic	Día de Navidad
26 dic	Tweede Kerstdag (Segundo Día de Cristo)

Durante estos días la mayoría de los establecimientos cierran todo el día, aunque las instalaciones turísticas suelen permanecer abiertas. El 5 de diciembre, víspera de San Nicolás, los negocios cierran temprano.

HORARIOS

○ Tiendas   ● Oficinas de correos
● Oficinas   ◐ Museos/monumentos
◐ Bancos   ◐ Farmacias

8.00 9.00 10.00 12.00 13.00 14.00 16.00 17.00 19.00

☐ Mañana   ▨ Mediodía   ☐ Tarde

Tiendas Algunas cierran los lunes y abren hasta tarde los jueves. Muchas de las tiendas del centro abren los domingos (▶ 47). Normalmente, las tiendas de las principales calles comerciales del centro de la ciudad abren lu 11.00-18.00, ma, mi y vi 9.00-18.00, ju 9.00-21.00, sá 9.00-17.00 y do 12.00-18.00.
Museos Mientras que los grandes suelen abrir 9.00/10.00-18.00 o más tarde, los pequeños suelen tener horarios más restringidos, como 11.00-17.00 y normalmente permanecen cerrados los domingos por las mañanas (habitualmente abren 13.00-17.00). Algunos museos pequeños cierran los lunes.

POLICÍA 112 o 0900 8844 cuando no son urgencias

BOMBEROS 112

AMBULANCIAS 112

TELÉFONOS

Existen multitud de teléfonos públicos en Amsterdam, que a su vez, aceptan varias tarjetas prepago o de crédito y monedas, dependiendo de la compañía y de la edad del terminal. Como norma general, la forma más barata de llamar tanto dentro de Holanda como al extranjero es mediante las tarjetas prepago (a la venta en estancos,

supermercados y oficinas de cambio) y la más cara, desde la habitación del hotel.

Prefijos internacionales para llamadas desde Amsterdam
España: 34
Reino Unido: 44
Francia: 33
Alemania: 49
Irlanda: 353
Estados Unidos/Canadá: 1
Australia: 61
Nueva Zelanda: 64

SEGURIDAD

La página web oficial de turismo de Amsterdam, www.visitamsterdam.nl, avisa claramente de los lugares que conviene evitar: tras el anochecer, los callejones de Nieuwendijk pueden dar cobijo a los atracadores y son bastante desagradables; también alerta sobre el extremo sur de Zeedijk y sus alrededores. En el distrito del Barrio Rojo hay que tener cuidado con los ladrones, cuyo objetivo son los viajeros aturdidos por el alcohol o las drogas. Aparte de esta zona, la mayor parte de la ciudad es segura, incluso por las noches.

CORREOS

Los buzones son rojos; hay pocas oficinas de correos, con horarios reducidos. La oficina del aeropuerto de Schiphol abre más tiempo. Las tiendas de prensa, algunos supermercados y los estancos también venden sellos.

ELECTRICIDAD

Los enchufes son de dos clavijas, con una toma de tierra opcional, igual que los españoles. La potencia de electricidad es de 220 voltios, por lo que ciertos aparatos norteamericanos de 110 voltios podrían necesitar transformador.

PROPINAS

La costumbre en restaurantes y cafés es dejar unas cuantas monedas o redondear la cuenta.

	Sí ✓ No ✗	
Hoteles (servicio incluido)	✓	cambio
Guías turísticos	✓	3–5 €
Peluquerías	✓	redondeo
Taxis	✓	redondeo de tarifa
Acomodadores	✗	
Botones	✓	3–5 €
Guardarropas	✗	

EMBAJADAS Y CONSULADOS

Amsterdam
020 620 3811

La Haya
070 302 4999

Madrid
913 537 500

Barcelona
933 635 420

Valencia
963 414 633

SALUD

 Seguros Los ciudadanos de la UE reciben tratamiento médico de urgencia gratuito o a precio reducido si disponen de la documentación necesaria (tarjeta sanitaria europea); aún así, se recomienda disponer de un seguro médico privado. Para visitantes extracomunitarios resulta imprescindible.

 Dentistas Se proporciona un tratamiento de urgencia a coste reducido a los ciudadanos de la UE con la documentación pertinente, pero aun así, las tarifas son altas. Los visitantes extracomunitarios deberán tener un seguro médico con cobertura dental.

Clima Aunque Amsterdam se sitúa más al norte que Varsovia y Winnipeg, el sol de verano puede causar quemaduras. Se recomienda usar protección solar en junio, julio y agosto, así como beber muchos líquidos: es mejor llevar una botella de agua mineral que parar en la terraza más cercana a tomar una cerveza.

Medicamentos y drogas Las farmacias dispensan una gran gama de productos sin receta. Los narcóticos que se ofrecen en Amsterdam no deben tomarse a la ligera: pueden tener efectos graves sobre la mente y el cuerpo, y además, normalmente se ven potenciados al mezclarlos con alcohol.

Agua potable El agua de grifo es potable y normalmente sabe bien. Sin embargo, el agua de los canales no debe beberse bajo ningún concepto: más de 2.000 casas flotantes arrojan sus aguas residuales directamente al sistema de canales, por lo que el baño tampoco es recomendable. Se pueden adquirir fácilmente botellas de agua mineral en cualquier punto de la ciudad.

AYUDAS

Estudiantes/niños Los museos, cafés y restaurantes ofrecen pocos descuentos, aunque a veces se encuentran buenas ofertas de vuelos. Además, en las pocas ocasiones en las que se ofrece descuento a estudiantes, suelen limitarse a personas que estudien en Amsterdam.

Tercera edad Los visitantes mayores de 65 pueden beneficiarse de los descuentos en museos y otros lugares turísticos, aunque es necesario presentar alguna documentación, como el pasaporte o DNI.

VIAJEROS DISCAPACITADOS

Se han tomado medidas positivas para facilitar el viaje a Amsterdam a personas discapacitadas, habilitando ascensores y rampas en muchos edificios públicos y ofreciendo un fácil acceso a los medios de transporte públicos. Aún así, las calles adoquinadas, los coches mal aparcados y los puentes pueden hacer difícil moverse en silla de ruedas.

NIÑOS

No existe un acuerdo común sobre el límite de edad para beneficiarse de entrada gratuita o descuentos a los museos y otras atracciones. Suele haber cambiadores de bebés en muchos sitios.

ASEOS

Es fácil localizar los urinarios para caballeros, frecuentes en las zonas más concurridas. Suelen usarlos cuatro hombres a la vez (un buen ejemplo se encuentra en la entrada principal de Centraal Station). Las mujeres, sin embargo, pueden utilizar los aseos de los cafés, aunque podría ser necesario tomar una consumición, ya que algunos lugares reservan el uso de sus lavabos para los clientes.

OBJETOS PERDIDOS

Aeropuerto de Schiphol, tel: 020 774 0800; tranvías, autobuses o metro, tel: 020 460 5991. Si se pierde algo en un tren, se puede acudir a Centraal Station, donde guardan los objetos 5 días.

COMUNICACIÓN BÁSICA

Sí/no **Ja/nee**
Hola **Dag hallo**
Buenos días **Goedemorgen**
Buenas tardes **Goedemiddag**
Buenas noches **Goedenavond**
Adiós **Dag tot ziens**
¿Qué tal está? **Hoe gaat het (met u)?**
Bien, gracias **Goed, bedankt**
Por favor **Alstublieft**
Gracias **Dank u (wel)/Bedankt**
Perdón **Pardon**
Lo siento **Het spijt mij/Sorry**
¿Tiene usted...? **Heeft u ...?**
Me gustaría... **Ik wil (graag) ...**
¿Cuánto vale esto? **Hoeveel is het?**
Abierto **Open**
Cerrado **Gesloten**
Empujar/tirar **Duwen/trekken**
Servicio de señoras **Dames**
Servicio de caballeros **Heren**

VIAJES

Avión **Vliegtuig**
Aeropuerto **Luchthaven**
Bicicletas **Fiets**
Autobús **Bus**
Taxi **Taxi**
Tren **Trein**
Tranvía **Tram**
Llegadas **Aankomst**
Salidas **Vertrek**
No fumadores **Niet roken**
Plataforma **Spoor**
Asiento **Plaats**
Reservado **Gereserveerd**
Billete **Kaartje**
Taquilla **Loket**
Horario **Dienstregeling**
Clase preferente **Eerste klas**
Clase turista **Tweede klas**
Sólo ida/ida y vuelta **Enkele reis/retour**

PALABRAS Y FRASES ÚTILES

Ayer **Gisteren**
Hoy **Vandaag**
Mañana **Morgen**
No comprendo **Ik begrijp het niet**
¿Habla usted inglés? **Spreekt u Engels?**
Necesito un médico **Ik heb een arts nodig**
¿Tiene alguna habitación libre? **Zijn er nog kamers vrij?**
    - con baño/ducha **met bad/douche**
    - con terraza **met balkon**
Habitación simple **Eenpersoonskamer**
Habitación doble **Tweepersoonskamer**
Una/dos noches **Een/twee nachten**
Precio **Prijs**

DIRECCIONES

¿Dónde hay...? **Waar is...?**
    - una parada de tranvía **de tramhalte**
    - una cabina **de telefoon**
    - un banco **de bank** (nota: bank también significa asiento)
Gire izquierda/derecha **Ga naar links/rechts**
Siga recto **Ga rechtdoor**
Aquí/allí **Hier/daar**
Norte **Noord**
Este **Oost**
Sur **Zuid**
Oeste **West**

DÍAS DE LA SEMANA

Lunes **Maandag**
Martes **Dinsdag**
Miércoles **Woensdag**
Jueves **Donderdag**
Viernes **Vrijdag**
Sábado **Zaterdag**
Domingo **Zondag**

NÚMEROS

1	**een**	13	**dertien**	30	**dertig**	101	**honderd een**
2	**twee**	14	**veertien**	31	**eenendertig**	102	**honderd twee**
3	**drie**	15	**vijftien**	32	**tweeëndertig**	200	**tweehonderd**
4	**vier**	16	**zestien**			300	**driehonderd**
5	**vijf**	17	**zeventien**	40	**veertig**	400	**vierhonderd**
6	**zes**	18	**achttien**	50	**vijftig**	500	**vijfhonderd**
7	**zeven**	19	**negentien**	60	**zestig**	600	**zeshonderd**
8	**acht**	20	**twintig**	70	**zeventig**	700	**zevenhonderd**
9	**negen**			80	**tachtig**	800	**achthonderd**
10	**tien**	21	**eenentwintig**	90	**negentig**	900	**negenhonderd**
11	**elf**	22	**tweeëntwintig**	100	**honderd**	1,000	**duizend**
12	**twaalf**						

EN EL RESTAURANTE

¿Tienen mesa para dos **Heeft u een tafel voor twee?**
Me gustaría reservar mesa **Ik wil een tafel reserveren**
Soy vegetariano **Ik ben vegetariër**
¿Me puede traer la cuenta, por favor? **De rekening alstublieft**
Esto no es lo que pedí **Dit is niet wat ik besteld heb**
¿Podemos sentarnos junto a la ventana? **Mogen wij bij het raam?**
¿Está abierta aún la cocina? **Is de keuken nog open?**
¿A qué hora cierran? **How laat gaat u dicht?**
¿Tiene una trona? **Heeft u een kinderstoel?**
¿Es picante/tiene muchas especias? **Is dit gerecht pikant/gekruid?**
La comida está fría **Het eten is koud**
¡Buen provecho! **Eet smakelijk!**

Servicio incluido **Bediening inbegrepen**
Servicio no incluido **Exlusief bediening**

Botella/vaso **Fles/glas**
Desayuno **Ontbijt**
Café **Café**
Frío **Koud**
Cubierto **Couvert**
Postre **Nagerecht**
Cena **Diner/avondeten**
Plato del día **Dagschotel**
Bebida **Drank/drankje**
Seco **Droog**
Tenedo **Vork**
Frito **Gebakken**
Caliente **Warm**
Picante **Pikant (scherp)**
Cuchillo **Mes**
Almuerzo **Lunch/middageten**
Plato principal **Hoofdgerecht**
Medio **Medium**
Carta **Menukaart**
Extraño **Rare**
Restaurante **Restaurant**
Menú fijo (precio fijo) **Menu**
Especialidades **Specialiteiten**
Cuchara **Lepel**
Entrantes **Voorgerecht**
Mesa **Tafel**
Camarero **Ober**
Camarera **Serveerster**
Muy hecho **Doorbakken**
Carta de vinos **Wijnkaart**

LA CARTA A–Z

Aardappelen Patatas
Ansjovis Anchoas
Appelgebak (met slagroom) Tarta de manzana (con nata montada)
Azijn Vinagre
Biefstuk Filete
Bier or Pils Cerveza
Bonen Alubias
Boter Mantequilla
Boterham Sándwich
Bouillon Consomé
Brood Pan
Broodje Panecillo
Carbonade Chuleta de cerdo
Champignons Champiñones
Chips Patatas fritas de bolsa
Chocola Chocolate
Citroen Limón
Eend Pato
Ei Huevo
Erwten Guisantes
Forel Trucha
Garnalen Gambas
Hachée Estofado
Ham Jamón
Hamburger Hamburguesa
Haring Arenques
Hertenvlees Venado
Honing Miel
Hutspot Guiso
Ijs Helado
Jenever Ginebra
Jus Jugo de carne
Kaas Queso
Kabeljauw Bacalao
Kalfsvlees Ternera
Kalkoen Pavo
Kip Pollo
Knoflook Ajo
Koffie Café
Kreeft Langosta
Lamsvlees Cordero

Makreel Caballa
Melk Leche
Mineraal water Agua mineral
Mosterd Mostaza
Oesters Ostras
Olie Aceite
Paling Anguila
Pannekoeken *Crêpes*
Patat frites Patatas fritas
Peper Pimientos
Rijst Arroz
Rode wijn Vino tinto
Rookworst Salchicha ahumada
Room Nata
Rundvlees Ensalada
Salade or Sla Ternera
Saus Salsa
Schaaldieren Marisco
Sinaasappelsap Zumo de naranja
Soep Sopa
Spek Panceta
Stamppot Estofado de salchichas
Suiker Azúcar
Thee Té
Tong Lenguado
Tosti Queso en tostada
Uien Cebollas
Uitsmijter Huevo frito en pan con jamón
Varkensvlees Cerdo
Vis Pescado
Vlees Carne
Vruchten Fruta
Water Agua
Wild Carne de caza
Witte wijn Vino blanco
Worst Salchicha
Wortelen Zanahoria
Zalm Salmón
Zout Sal

Callejero

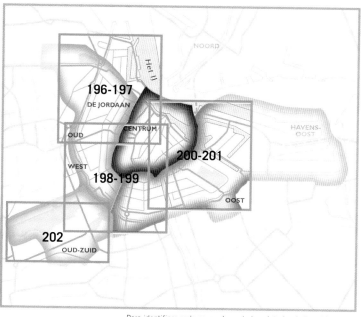

Para identificar cada zona, véase el plano interior de la cubierta

Simbología

Carretera principal	Lugar de interés
Otras carreteras	i Información turística
Ruta	● Monumento
Calle peatonal	† Iglesia
Línea férrea	✉ Oficina de correos
Edificio emblemático	✹ Molino de viento
Parque	

196–202   0   100   200   300   400   500 metros

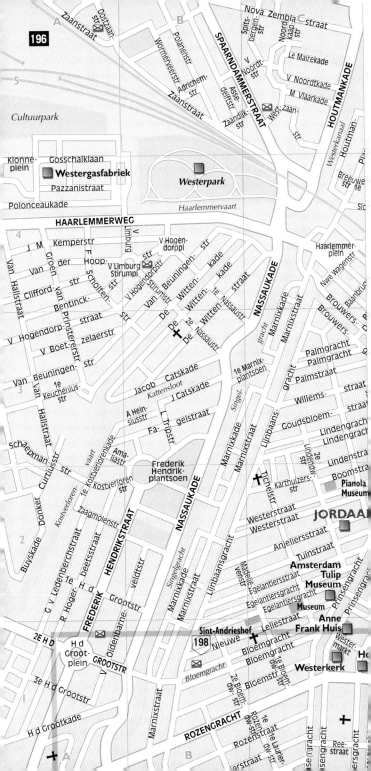

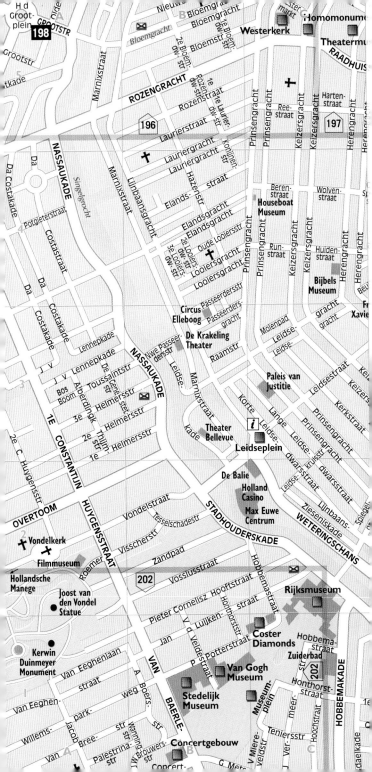

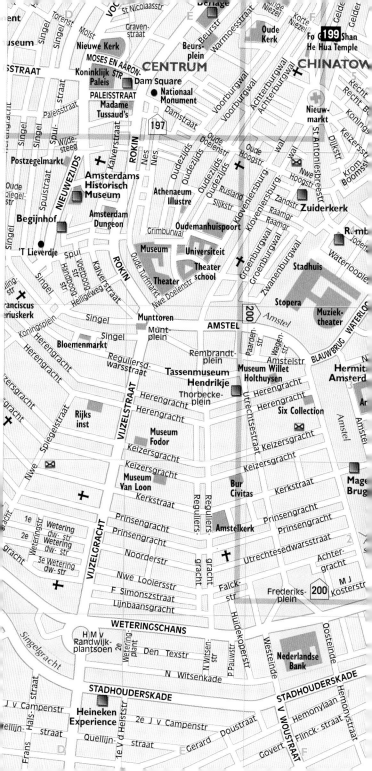

CENTRAAL
STATION

200

STATIONSPLEIN

HENDRIKKADE

DE RUIJTERKADE

i

197

Sint-Nicolaaskerk

Nieuwebrug

Zeedijk

Oudezijds Kolk

Schreierstoren

Gelderse kade

Gelderse kade

Stedelijk
Museum CS

Oosterdokskade

Oosterdokskade

Ons' Lieve
Heer op Solder

199

Korte Niezel

Lange Niezel

Scheepvaarthuis

PRINS

Oosterdok

science
center
NEMO

Oude
Kerk

Fo Guang Shan
He Hua Temple

CHINATOWN

Lastage-
weg

Binnenkant

Oude Waal

HENDRIKKADE

IJ-TUNNEL

Achterburgwal

Achterburgwal

Nieuw-
markt

197

St Antoniesbreestr

Recht Boomsloot

Recht Boomsloot

Koningsstraat

Keizersstr

Dijkstr

Krom Boomssl

Oudeschans

Oudeschans

Oudeschans

Kalk-
markt

Oudeschans

Nwe Uilenburgerstraat

Uilenburgergracht

Rapenberg

Schippers-
gracht

Kadijks
plein

Oude Hoogstr

Nwe Hoogstr

Zandstr

Zuiderkerk

Raamgr

Raamgr

Valkenburgerstraat

Uilenburgerstraat

A Frankstraat

Rapenburgerstraat

Herengracht

Parklaan

Plantage

Plantage

Groenburgwal

Groenburgwal

Zwanenburgwal

Rembrandthuis

Jodenbreestr

Waterlooplein

Stadhuis

Mr
Visserplein

Portugees
Israëlitische
Synagoge

MUIDERSTRAAT

De Burcht

H Polaklaan

Ve
m

Stopera

Amstel

Muziek-
theater

WATERLOOPLEIN

J D
Meijerplein

Joods
Historisch
Museum

Hortus
Botanicus

PLANTAGE

Hers
APAD Gen

Kerklaan

Paarden-
str

Wagen-
str

BLAUWBRUG

Nieuwe

Hortusplant

Plantage

Plantage

Muidergr

Amstelstr

Museum Willet
Holthuysen

Herengracht

Herengracht

Hermitage
Amsterdam

Amstelhof

Nieuwe

Keizersgracht

Keizersgracht

Wittenberg

Utrechtsestraat

Six Collection

Keizersgracht

Amstel

Nieuwe

Kerkstraat

Dr Sarphati-
huis

Keizersgracht

Kerkstraat

Nieuwe

Prinsengracht

vitas

Kerkstraat

Magere
Brug

Nieuwe
Prinsengracht

Lepelstr

Nwe

Achtergracht

Achtergracht

Roeterstraat

kerk

Prinsengracht

Prinsengracht

199

Theater
Carré

Nieuwe
Onbekende-
gracht

Nwe

WEESPERSTRAAT

Valckenier-
straat

Utrechtsedwarsstraat

Achter-
gracht

Amstel-
sluizen

Voormalige
Stadstimmertuin

Spinozastraat

Frederiks-
plein

M J
Kosterstr

SARPHATISTRAAT

Muziekgebouw aan't IJ

Javakade

IJhaven

OOSTELIJK HAVENGEBIED

PIET HEINKADE

Jan Schaefferbrug

Oostelijke

PIET HEINKADE

Dijksgracht

Dijks-

gracht

Mariniers-kade

KATTENBURGERSTRAAT

Kattenburgerkade

Kattenburgerkade

Wittenburgerstraat

Wittenburgerstraat

Wittenburgerstraat

Wittenburgervaart

Wittenburgervaart

Scheepvaart Museum

Arcam

Blijlijespad

Kattenburger-kade

KATTEN-BURGERGR

Grote

Kleine

Pool-str

Oosten-burger-dw.-str

Oostenburgervoorstr

Touw-baan

Compagniestr

Oostenburger-park

Oostenburgervaart

Conredstraat

Peterstraat

Blankenstraat

Nieuwevaart

Nieuwe-

Nieuwe-

Overhaals-gang

OOSTENBURGERGRACHT

Boulevardpad

Kadijk Laagte

Hoogte

Entrepotdok

Entrepotdok

kade

rzets-useum

Werf T'Kromhout Museum

vaart

Czaar

Planetarium

Doklaan

Kadijk

Cruquiuskade

De Gooier

ZEEBURGERSTR

Zeeburgerpad

Geologisch Museum

Natura Artis Magistra

Magistra

MIDDENLAAN

St Jacob

Plantage Lepellaan

Plantage Badlaan

Plantage

Artis Zoo

Muidergracht

Sarphatistraat

Sarphatistraat

Kazerne-str

Louise Wentstraat

MAURITSKADE

MAURITSKADE

P Vlamingstr

Von Zesenstraat

Dapperstraat

Commelin-straat

Wagenaar-straat

1e V Swinden- straat

V Swinden- straat

2e V Swinden- dw-str

Nieuwlandstraat

Dapper-plein

LINNAEUSSTRAAT

Alex.-str

Alexanderkade

straat

Sarphatistraat

Singelgracht

MAURITSKADE

Tropenmuseum

Soeterijn Theater

Sajet-plein

Oosterpark

Índice del callejero

Agradecimientos

El País-Aguilar y The Automobile Association desean agradecer su colaboración a los siguientes fotógrafos y bibliotecas en la elaboración de esta guía:

Cubierta delantera y posterior (t) AA/K Paterson; (ct) AA/K Paterson, (cb) AA/K Paterson; (b) AA/K Paterson; Lomo AA/M Jourdan

ALAMY 146/147 (SPP Images), 150 (© Arco Images); AMSTERDAMS HISTORISCH MUSEUM 2iii, 49; ANNE FRANK HOUSE 94cl, 94cr, 95c, 96t, 96c; ANTHONY BLACK PHOTO LIBRARY 32 (Anthony Blake), 33t (Joy Skipper), 33b (Gerrit Buntroch); ART DIRECTORS AND TRIP PHOTO LIBRARY 91c, 92, 168, 169; BRIDGEMAN ART GALLERY 21 Titus Reading, c 1656 by Rembrandt Harmensz. Van Rijn (1606-69), Kunsthistorisches Museum, Vienna, Austria, 116; The Night Watch c 1642 (oil on canvas by Rembrandt Harmensz van Rijn (1606-69) Rijksmuseum, Amsterdam, 124 The State Lottery (w/c) by Vincent van Gogh (1853-90) Rijksmuseum Vincent van Gogh, Amsterdam, 125t The Langlois Bridge in Arles, March 1888 (oil on canvas) by Vincent van Gogh (1853-90) Rijksmuseum Vincent van Gogh, Amsterdam, 126 Self Portrait before his Easel 1888 by Vincent van Gogh (1853-90) Rijksmuseum Vincent van Gogh, Amsterdam, 127 Wheatfield with Crows, 1890 (oil on canvas) by Vincent van Gogh (1853-90) Rijksmuseum Vincent van Gogh, Amsterdam; SIMON CALDER 110; COSTER DIAMONDS 128; JAMES DAVIS WORLDWIDE 15t, 164, 164/165, 165, 171; MARY EVANS PICTURE LIBRARY 13t, 16/17, 17; EYE UBIQUITOUS 3v, 28cr, 187; GETTYIMAGES 2iv, 18/19, 60, 61, 79, 148/149, 163, 170/171; ROBERT HARDING PICTURE LIBRARY 10/11, 18, 80c, 83, 97, 170; HOLLANDSE MANEGE 112b; JOODS HISTORISCH MUSEUM 142; MUSEUM AMSTERLKRING/GORT JAN VAN ROOY 65c; MUSEUM HET REMBRANDTHUIS 20bl, 20cr, 66t, 66c; RIJKSMUSEUM 114, 115; NEWMETROPOLIS/JAN DERWIG 9t; PICTURES COLOUR LIBRARY 30t, 30cl, 63, 64, 182; REX FEATURES 19b; SKYSCAN/MACRO VAN MIDDELKOOP 10, 13tr; VERZETSMUSEUM 152; WORLD PICTURES 3iii, 161, 166, 167, 172

Las restantes fotografías pertenecen a la propia biblioteca de The Automobile Associaton (AA WORLD TRAVEL LIBRARY) y fueron tomadas por ALEX KOUPRIANOFF a excepción de:
3i, 31tr, 31ctr, 31br, 109, 113t MAX JOURDAN; 3ii, 14t, 14b, 19t, 23, 30cr, 30br, 31bl, 51c, 52t, 52b, 54c, 54b, 56/57, 56, 57t, 57c, 58t, 58b, 59c, 59b, 62, 65tl, 67, 80b, 82, 86, 93t, 93b, 95t, 117, 119, 120b, 122, 123, 130, 135, 138c, 138b, 140, 141, 143, 149 KEN PATERSON; 122/123 WYN VOYSEY

Significado de abreviaturas: (t) arriba; (b) abajo; (l) izquierda; (r) derecha; (c) centro.

GUÍA **SPIRAL**

Cuestionario

Querido viajero y lector:

El País-Aguilar quiere mejorar y sus comentarios y recomendaciones serán de gran ayuda para conseguirlo. Rellene todos los apartados de este cuestionario y recibirá gratuitamente un libro de El País-Aguilar. Envíe el cuestionario a:

El País-Aguilar, Torrelaguna, 60, 28043 Madrid.

Acerca de esta guía...

Título: _____

¿Dónde ha comprado la guía? _____

¿Cuándo? _ _ / _ _

¿Cuánto tiempo antes de su viaje? _____

¿Qué opinión tiene de la colección Guías Spiral (puntúe de 1 a 5)

presentación	1	2	3	4	5
cubierta	1	2	3	4	5
información cultural	1	2	3	4	5
información práctica	1	2	3	4	5
mapas y planos	1	2	3	4	5
consejos al viajero	1	2	3	4	5
relación calidad-precio	1	2	3	4	5

¿Qué aspectos de la guía le han gustado más?_____

¿Cree que hay algún aspecto que se podría mejorar? _____

¿Ha satisfecho esta guía sus expectativas? _____

☐ sí ☐ no ☐ en parte

por favor, explique las razones_____

_____

_____

_____

_____

Acerca del viaje...

¿En qué fecha ha realizado el viaje? _____

¿Con cuánto tiempo de antelación reservó el viaje? _____

¿Cuál fue la duración? _____

Se trataba de un viaje de ocio ☐ de trabajo ☐

Ha viajado

☐ solo/sola ☐ con amigos

☐ en familia ☐ en pareja ☐ en un viaje organizado

continúa en la página siguiente…

Acerca del viaje...

¿Ha comprado otra guía de viaje? _____

si la respuesta es afirmativa ¿cuál? _____

Acerca de usted...

Edad

☐ menos de 25　　☐ entre 25-34　　☐ entre 35-44

☐ entre 45-54　　☐ entre 55-64　　☐ más de 65

¿Qué fuentes de información utiliza habitualmente?

☐ radio　　☐ periódicos　　☐ televisión

díganos sus medios favoritos _____

¿Qué duración suelen tener sus viajes de ocio?

☐ 1 día　☐ 2 días　☐ 3 días　☐ más de 3 días

¿Cuántos viajes de ocio suele hacer al año?

☐ fin de semana　☐ 7 días　☐ 15 días　☐ más de 15 días

¿Acostumbra a llevar una guía de viaje en sus viajes de ocio?

☐ sí　　☐ no

¿Cuántos viajes de trabajo suele hacer en un año?

☐ ninguno　☐ menos de 5　☐ de 5 a 10　☐ más de 10

¿Qué duración suelen tener sus viajes de trabajo?

☐ 1 día　☐ 3 días　☐ 7 días　☐ más de 7 días

¿Acostumbra a llevar una guía de viaje en sus viajes de trabajo?

☐ sí　　☐ no

(Los resultados de este cuestionario no se asociarán en forma alguna a sus datos
personales, ya que nuestro interés es sólo tener información sobre nuestras guías,
y no realizar un perfil de su persona)

Nombre _____

Apellidos _____

Dirección _____